짝꿍: 듀나×이산화

KB122465

짝꿍: 듀나×이산화

사라지는
미로 속
짐승들

듀나

1.

건물은 2층밖에 남아 있지 않았다.

클라라 스폴린이 나에게 약속했던 사무실은 3층에 있었다. 난처했다. 나는 눈을 가늘게 뜨고 3층이 불타 사라지며 남긴 공간을 올려다보았다.

"폭탄이 터졌어요. 다행히 안엔 아무도 없었지요."

문 옆에 서서 사탕수수 막대를 질겅질겅 씹으며 나를 바라보던 경관이 말했다.

"범인은 잡혔나요?"

"아뇨. 하지만 십중팔구 루즈벨트 시티에서 도망쳐 온 깡패 새끼들 짓이지. 어서 가 봐요. 여긴 애 데리고 다니기엔 위험해요."

"하지만 저 애는 저랑 같이 온 게…"

경관은 관심 없다는 듯 씹다 만 사탕수수 막대 끝을 이로 잘라 내뱉고 나머지를 입에 물었다.

나는 갈색 종이 상자를 들고 내 왼편에 서서 같이

7

3층을 올려다보고 있던 여자아이를 내려다보았다. 수수하지만 비싸 보이는 옷과 모자. 불안한 표정 속에 숨겨져 있는 거만한 태도. 척 봐도 있는 집 아이였다.

내가 레오노프 거리로 걸음을 옮기자 아이도 내 뒤를 따랐다. 종이 상자 안에 든 무언가가 흔들리며 내는 달각달각 소리가 들렸다. 내가 멈추자 소리도 멎었다. 나는 뒤를 돌아보았고 아이와 눈이 마주쳤다.

"클라라 스폴린 탐정님과 아는 사이신가요?"

아이가 물었다.

"응."

내가 대답했다.

"지금 그분이 어디 계시는지 아시나요?"

"존재하지 않겠지. 2주 전에 루즈벨트 시티에 갔는데, 그저께 합중국 조차지 전체가 사라졌잖아."

"혹시 선생님도 탐정이세요?"

나는 잠시 망설였다. 내 직업은 이제 중요하지 않았다. 어차피 우주는 소멸해 가고 있으며 나 역시 그 안에서 같이 사라질 것이다. 과학자들 말에 따르면 종말까지 한 달 정도 남았다는데 난 그 시간을 그렇게 알차게 보낼 생각은 없었다. 나에게 필요했던 건 사립 탐정이라는 직업이 아니라 공짜로 숙식을 제공해 줄 작은 공간이었는데 어제 그게 폭발해 버렸다.

숙식은 중요하다.

"맞아."

"스몰린 탐정님 동료신가요?"

"페트로그라드에 있을 때 몇 번 같이 일했어."

"송지윤이란 분 아세요?"

"모르겠어. 누군데?"

"제 어머니세요. 13년 전에 실종되었어요."

작은 키 때문에 어리게 봤나? 열한 살 정도라고 생각했는데. 하지만 우리의 세계에서 정확한 나이를 따지는 건 의미 없는 일이다. 특히 아이들은.

나는 20여 년 넘게 이 일을 하면서 수많은 아이를 만났다. 수상쩍을 정도로 영리하고 야무지고 조숙하고 손이 안 가는 아이들. 이제는 알겠다. 그들 대부분이 어른 이야기꾼의 판타지였다는 것을. 하긴 나도 추리소설 애호가의 판타지였을 게 뻔하니 할 말이 없기는 마찬가지다. 우린 자신이 누구인지 모르는 채로 최선을 다했을 뿐이다.

"스몰린 탐정님과 1년 전부터 연락해 왔어요. 그러니까 우리 우주의 허구성이 알려지고 몇 달 뒤부터요. 전 생각했지요. 이런 상황이라면 어머니를 더 쉽게 찾을 수 있지 않을까. 그래서 아버지 몰래 전문가를 찾았고 스몰린 탐정님과 연락이 됐어요."

"왜 그렇게 생각했어?"

"어머니는 유저셨으니까요."

나는 코끝을 긁으며 생각에 잠겼다. 지금 사라지

고 있는 우리의 우주가 가상현실이며 이곳이 일종의 게임을 위해 이용되고 있다는 건 대부분 동의하는 가설이었다. 하지만 어떤 종류의 게임인가에 대해서는 의견이 엇갈렸다. 이 세계는 우리가 알고 있는, 우리가 상상할 수 있는 게임과는 그렇게 잘 맞지 않았다.

내 경우를 보자. 비정상적으로 성공률이 높은 사립 탐정인 나는 아마 추리소설 설정의 주인공일 것이다. 하지만 그것이 게임에서 어떤 의미를 갖는가? 나의 정신을 조종해서 사건을 해결하는 것이 게임의 목표인가? 만약 그 게임이 실패한다면 어떻게 되는가? 왜 나는 그 경우를 기억하지 못하는가? 내가 이 우주에서 벌어지는 수많은 게임의 일부이고 성공만을 기억한다면 어떻게 우주는 일관성을 갖는가?

몇 개의 도시를 있는 그대로 재현할 수 있는 기술을 갖고 있는 세계라면 우리가 꿈도 꿀 수 없는 낭비가 가능할 것이고 그 낭비는 게임에 전혀 다른 모양을 부여할 것이다. 그래도 우리는 우리가 알고 있는 게임의 틀을 통해 우주를 유추할 수밖에 없었다. 유저 가설도 거기서 나왔다. 이 도시에 사는 시민일부는 게임 바깥에서 온 유저이며 직접 주인공이 되는 대신 신처럼 우리의 사건에 개입할 것이다. 그들에겐 그것이 게임이다. 하지만 지난 16개월 동안 나온 가설 대부분이 그렇듯 유저 가설에도 근거는 없었다. 가설에 바탕을 둔 가설에 바탕을 둔 가설들이 폭주하는 상황의 일부일 뿐이다.

"왜 그렇게 생각하니?"

"제 앞에 가끔 나타나셨거든요. 제가 여섯 살이던 때부터요. 처음엔 꿈이라고 생각했어요. 그다음엔 유령이 아닌가 생각했지요. 잠시 병원에도 다녔어요. 하지만 세상이 원래 이렇고 무슨 일이든 일어날 수 있다고 생각하니까, 어머니가 유저라는 가설도 타당해졌어요."

"어머니는 유명한 분이시니?"

"책을 쓰셨어요.《눈 덮인 미로 속 짐승들》이라고요."

아, 알겠다. 작가 이름은 기억나지 않았지만, 책은 알았다. 의천 시내에서 일어났다는 신비한 사건들을 기록한 논픽션이었다. 속편이 두 권 나왔는데, 난 첫 권만 읽었다. 작가는 돈 많은 본토인으로 이 책을 쓰러 의천에 왔다가 이곳에서 만난 외교관과 결혼했는데 딸을 낳고 얼마 되지 않아 자이로플레인 추락 사고로 실종되었거나 죽었다. 내가 아는 이야기였다. 그게 13년 전 일인가.

"진척은 있었니?"

"유저 가설은 스몰린 탐정님의 아이디어였어요. 그 방향으로 진행하셨어요. 그리고 나흘 전에 집에서 뭔가를 찾아보라고 전자 통신문을 보내셨는데, 전 그때 정신이 없었거든요. 서울이 완전히 사라졌고… 내려가신 아버지도 같이 사라지셨고… 전 지금 고아이고… 엄마를 찾아야…"

지금까지 논리적으로 이어지던 정돈된 문장이

순식간에 무너져 내렸다. 아이는 이를 악물고 울음을 참았다. 나는 아이의 어깨 위에 손을 얹고 조용히 기다렸다.

"제 이름은 우서영이에요. 탐정님은요?"

진정한 아이가 물었다.

"내 이름? 라다 문이야."

2.

서영의 집은 러시아구와 한국구 경계선에 있는 주거 탑 7층에 있었다. 건물 내부는 호사스러웠지만 엘리베이터는 낡은 패터노스터였다. 난 아직도 어처구니없는 기계를 믿을 수가 없다.

나는 커튼 사이로 바깥을 바라보았다. 하늘은 이제 진짜 티를 내지도 않았다. 해도, 구름도 없는 회색 섞인 파란색 캔버스가 아무 이유 없이 그냥 어두워지고 있었다. 주거 탑이 조금만 더 중심에서 벗어났다면 점점 사라지고 있는 교외의 경계선이 보였을 것이다. 의천은 조금씩 작아지고 있는 직사각형이었다. 그 바깥은 하늘색의 허무였고 거기에 발을 디딘 사람들은 사라져 버렸다. 이런 식의 축소가 진행되다가 다른 도시들처럼 갑자기 펑 하고 사라지는 것이다.

집을 잃은 사람들은 점점 시내로 몰려들고 있었다. 여기저기 빈 건물들이 시 정부의 깃발을 걸고 이들을 받았다. 다행히도 아직 수도와 전기는 끊어지지 않았다. 이를 사라진 도시들이 아직 존재한다는 증거로 받아들이는 사람들도 있었다. 하지만 모든 게 가짜라는 것이 입증된 지금 그게 무슨 의미가 있을까. 발전소나 정수장 같은 건 처음부터 없었을지도 모른다. 뉴욕, 파리, 나이로비, 부에노스아이레스가 존재하지 않았던 것처럼.

"저희 탑에도 피난민들이 들어온대요."

서영이 말했다.

"다섯 층이 비어 있으니까요. 한 층에 열 명씩 받는다고 들었어요. 단지 거주자 조합에서 직접 사람들을 고른대요. 건물을 망치지 않을 '품위 있는 사람들'."

아이는 내 여행 가방을 끌어 벽에 세워 놓고 그 옆에 거의 차렷 자세로 서 있었다. 엄마의 유령이 처음으로 나타났다는 바로 그 자리였다. 새벽 2시였지만 유령 혼자만 저녁 햇살을 받은 것처럼 밝았다고 한다. 유령은 말없이 딸을 바라보다가 아이가 눈을 깜빡이는 사이에 처음부터 없었던 것처럼 사라졌다고 한다.

처음에는 환각이라고 생각했다. 하지만 이런 일이 몇 달마다 반복되자 그 환각은 현실만큼의 무게를 갖게 되었다. 이 세계가 허구임이 밝혀지자 아이가 그 묵직한 환각의 원인을 찾으러 나선 건 당연한 일이었다.

스몰린이 이런 일에 어울리는 전문가였을까? 이

사라지는 미로 속 짐승들

런 일에 전문가가 있다고 생각하는 자체가 이상한 일이 아닐까. 하지만 아이의 생각에는 논리가 서 있었다. 어머니의 존재가 인위적으로 삽입되었다면 흔적이 남았을 것이고 이를 가장 잘 잡아낼 수 있는 사람은 경험 많은 직업 탐정이다. 아이가 필요로 한 것은 모든 것을 설명하는 막연한 이론이 아니라 불완전하더라도 구체적인 단서였다.

지금까지 스몰린이 조금씩 보내온 자료들은 송지윤의 허구성을 완벽하게 입증하지는 못했다. 하지만 간접증거로는 그럴싸했다. 송지윤은 이상할 정도로 가족과 친구가 적었고 좋은 학교를 좋은 성적으로 졸업했는데도 기억하는 사람이 많지 않았다. 무엇보다 의천에 온 뒤로 행동 패턴이 완전히 달라졌다. 마치 이 도시에 오자마자 조용히 숨죽이며 살던 사람의 몸속에 활달한 귀신이 들어온 것처럼.

의뢰 뒤에도 송지윤의 유령은 두 번 더 나타났다. 세 번이나 네 번이었을지도 모른다. 대부분 저녁 길거리에서였고 군중 속에 섞여 있었다. 언제나 멀리서 말없이 딸을 바라보며 걷다가 사라졌다고 했다.

마지막으로 어머니가 나타났을 때 서영은 그쪽으로 달려갔다. 유령은 언제나처럼 깜빡하는 순간 사라졌지만 아이는 유령이 걷던 방향으로 계속 달렸다. 그리고 이상한 일이 일어났다. 길을 잃은 것이다. 유령이 나타난 곳은 학교와 주거 탑 사이로, 아이는 그 사이 모든 골목을 알고 있었다. 그런데도 처음 보는 낯선 골목이 갑자기 나타난 것이다.

골목은 평범해 보였다. 이 지역을 처음 방문한 관광객이나 방문객이라면 이상함을 전혀 눈치채지 못했을 것이다. 평범한 간판이 걸린 평범한 가게들과 평범한 사람들. 하지만 존재할 수 없는 거리들. 당황한 아이는 갈팡질팡 아무 방향으로 뛰다가 광장역 4번 출구 앞으로 튕겨 나왔고 그 뒤로 다시는 그 골목을 찾지 못했다.

"어머니가 그 안으로 사라지셨다고 생각하니?"

내가 물었다.

"아닌 거 같아요. 어머니의 유령은 이전처럼 그냥 픽 하고 사라졌으니까요. 하지만 연관이 있을지도 몰라요."

아이는 책장 밑 서랍에서 종이 여섯 장을 꺼내 나에게 내밀었다. 그때의 기억을 쥐어짜며 연필로 그린 골목 지도와 그림이었다. 평범하기 짝이 없었다. 단지 일관성이 조금 깨져 있었다. 세 번째 그림엔 잡화점과 고서점 사이에 끼어 있던 인형 극장이 다섯 번째 그림엔 구두 수선 가게와 장난감 가게 사이에 다시 등장하는 식이다. 아이는 모순되더라도 기억에 남은 모든 걸 다 그렸다고 했다.

"그리고 이건 스몰린 탐정님의 전자 통신문이에요."

서영은 지갑을 열어 돌돌 말린 전화기용 테이프를 나에게 넘겨주었다. 나는 테이프를 풀고 메시지를 읽었다.

사라지는 미로 속 짐승들

"아버지 방 금고(비밀번호 31 04 29)에서 검정색 나무 상자를 꺼내 내 사무실 금고(비밀번호 09 25 17)에 넣고 지시를 기다릴 것."

"이 상자예요."

아이는 종이 상자를 열고 그 안에서 검은색으로 칠해진 납작한 나무 상자를 꺼내 나에게 건네주었다. 흔들어 보니 안에 작은 공깃돌 같은 게 두 개 정도 들어 있는 것 같았다.

"열어 보세요."

나는 아이가 시키는 대로 했다. 상자를 다탁에 놓고 뚜껑을 뒤로 젖히자, 교묘하게 연결된 작은 상자들이 보였다. 중간에 있는 상자를 들자 뱀처럼 밑의 상자가 딸려 나왔다. 나는 공깃돌을 찾으려고 다른 상자를 집어 올렸다…

… 그리고 모든 게 아주 이상해졌다. 연결된 상자들이 끊임없이 딸려 나와 화산 폭발 때 분출되는 연기처럼 부풀었다. 이제 내 앞에 놓인 건 원래 상자의 30, 40배는 되는 작은 상자들의 내장으로 구성된 거대한 나무 꽃이었다. 나는 다시 상자를 들어보았다. 무거웠다. 안의 작은 상자들이 쏟아지는 동안 점점 무게가 늘어났던 것이다. 그리고 안에 들어 있는 것으로 추정되는 공깃돌은 여전히 나무 상자 통로 어딘가를 굴러다니고 있었다.

서영은 한숨을 내쉬더니 상자들을 다시 차곡차곡 접었다. 중간에 서너 번 막혔지만, 상자는 5분 안에 다시 자기 모습을 찾았다. 아이는 뚜껑을 닫고 한 손으로 다시 무게가 줄어든 상자를 흔들었다. 공깃돌이 부딪히는 딸각거리는 소리가 났다.

아이는 종이 상자에서 지금까지 나무 상자 밑에 깔려 있었던 손때 묻은 낡은 공책을 꺼냈다. 오른쪽 페이지에는 그림과 도표, 수학 공식이, 왼쪽 페이지에는 고풍스러운 세로쓰기 필기체로 메모가 적혀 있었다. 24페이지까지가 그랬고 나머지는 소용돌이 모양의 낙서로 채워져 있었다. 앞에 있는 그림들은 나무 상자를 펼치고 접는 방법에 대한 것으로, 아이가 그렇게 상자를 빨리 접을 수 있었던 것도 다 이유가 있었다. 나는 공책 중간을 펼쳐 14페이지의 메모를 읽었다.

"… 복잡성은 여분의 복잡성을 만들어 낸다. 이 것은 이 세계의 숨겨진 법칙이다. 나는 이 세계의 접힌 차원을 통해 우리의 세계가 허상이며 우리가 알고 있는 실제 세계의 기하학과 물리학을 따르지 않는다는 것을 증명할 수 있다. 여분의 공간이 있고 그 안에는 여분의 세계가 있다…."

실망스러웠다. 그럴싸하고 신비스럽게 들리지만 사실 아무 내용도 없는 낚시 글이다. 의천과 페트로그라드를 오가며 탐정질을 하는 동안 거의 매 사건마다 이런 문장과 마주쳤다. 이들이 진상으로 연결되는 일은 드물었다. 심지어 문체도 다들 비슷비슷해!

"아버지는 어떤 분이시니?"

내가 물었다.

사라지는 미로 속 짐승들

"기술 무역관이셨어요. 이전 정부의."

아이는 잠시 말을 멈추더니 당황한 듯 고개를 저었다.

"그게 전부예요. 할 말이 없어요."

나는 소파에 앉았다. 아이는 맞은편 소파의 등에 몸을 기대고 내 얼굴을 바라보았다. 1분 정도의 시간이 흘렀다.

"내 가설을 들려줄까?"

내가 말했다.

"내가 생각하기에 너는 이야기의 주인공이야. 너의 아버지는 너를 위해 가까스로 존재하는 단역이고. 그 때문에 평생 같이 살았어도 아무 인상이 남지 않은 거야. 어머니 역시 원래 주어진 역할이 있었을 거야. 우주의 멸망이나 유저 이론 없이도 설명이 되는.

아마 넌 클라라 스몰린 이야기의 주인공이었을 거야. 우리 같은 탐정들이 대부분 그렇지. 주인공인 것 같지만 사실 진짜 주인공의 이야기를 완성하기 위한 도구에 불과해. 그 때문에 우리 인생은 발전이 없어. 아무리 엄청난 사건을 해결해도 자기 자리로 돌아가지.

스몰린과 나의 이야기 사이엔 차이점이 있어. 내가 맡은 사건들은 모두 현실적이야. 초과학이나 초자연 현상처럼 보였던 것도 모두 지금의 과학 지식으로 만족스럽게 해결이 되지. 하지만 스몰린이 맡은 사건들은 그렇지 않았어. 난 지금까지 이 친구가 사건을 건성으로 해결했기 때문이라고 생각했어. 의뢰인들이 다들 만족하는 거 같았으니 내가 상관할 일은 아니었지만. 그런데 지금 보니 우린 다른 장르에 속해 있었던 것 같아."

"그건 제 어머니가 유저가 아니란 말씀이세요?"

"아니, 그런 뜻은 아니야. 우린 유저들이 정말 존재하는지, 있다면 우리 세계에서 어떤 이유로 어떻게 존재하는지 알 수 없으니까. 이 일을 하면서 수많은 유저들을 만났을 수도 있지. 한 명도 못 만났을 수도 있고.

중요한 건 이거야. 스몰린이 맡은 사건들은 모두 신비스러웠지만, 초자연적인 현상이 존재한다는 절대적인 증거가 되지는 못했어. 모든 단서가 막판에 교묘하게 사라져 버렸으니까. 저 상자도 정상적인 상황 속에서는 중간에 부서지거나 불타 사라져 버렸을 거야. 하지만 지금은 정상적인 상황이 아니지. 세상이 고장 났으니까. 너와 스몰린이 주인공인 이야기는 중간에 끝나 버렸어. 그리고 아마도 스몰린은 그 열린 세계에서 무언가를 찾았을 수도 있어. 그게 뭔지는 모르겠어. 하지만 저 상자가 중요한 단서일지도 몰라. 《클라라 스몰린과 검은 상자의 수수께끼》 사건의 정해진 해답을 넘어서는 무언가로 우리를 이끌 수 있는 무언가."

"그렇다면 이제 어떻게 하지요?"

"전문가에게 맡겨야지. 내가 그 전문가가 아닌

사라지는 미로 속 짐승들

건 분명해. 난 사실주의 추리물의 탐정이니까. 사람 패는 건 잘하지만 그뿐이야. 스몰린은 조금 나았겠지만 역시 지어낸 이야기에 맞추어진 허구의 주인공이니 특별히 나을 게 없고. 탐정보다 과학자가 필요해. 하지만 그 사람들이라고 우리보다 얼마나 나을까? 체스판의 말이 스스로 체스판 바깥으로 나갈 수 있을까?"

전기 벨 소리가 들렸다. 서영은 소파에서 일어나 문 쪽으로 걸어가 문구멍으로 바깥을 훔쳐보았다.

"누구세요?"

"우서영 씨 계십니까?"

문 너머에서 가느다란 남자 목소리가 희미하게 들렸다.

"전데요? 누구세요?"

"VPL에서 왔습니다. 루즈벨트 시티에서 클라라 스몰린 회원이 우서영 씨에게 보낸 소포입니다."

중국어 억양이 섞인 외교관 영어였다. 나는 소파에서 일어나 문으로 달려갔다. 서영의 머리를 밀고 문구멍에 눈을 갖다 댔다. 조금 불안해 보이는 키 작은 남자가 작은 상자를 들고 서 있었다. 평상복 차림이었지만 VPL 소속 배달원들은 원래 유니폼 따위는 입지 않는다.

그리고 그들은 문 너머에서 자신을 VPL 직원이라고 소개하지도 않는다.

나는 서영의 손목을 잡아당겼다. 비슷한 상황과

연관된 수많은 시나리오가 떠올랐다. 문제는 내가 막 사건을 맡았을 때는 아무리 영리하게 굴어도 성공률은 그리 높지 않다는 것이다. 내 이야기를 주도하는 무언가는 내 고생이 빨리 끝나기를 바라지 않았다.

지금은 그 무언가가 존재하지 않잖아, 나는 생각했다. 하지만 초반의 실수가 내 머리에 삽입된 프로그램의 결과라면 어떻게 하지? 내가 초반엔 늘 실수하도록 창조된 존재라면?

"복도와 연결되지 않는 출구가 있니?"

내가 속삭였다.

"완강기가 있어요."

나는 완강기가 있는 테라스로 가 밑을 훔쳐보았다. 수상쩍을 정도로 평범해 보이는 화물 트럭 두 대가 서 있었고 역시 그만큼이나 평범해 보이는 남자들이 주변을 얼쩡거리고 있었다. 모두 그럴싸해 보였지만 이들을 다 합친 그림은 아귀가 맞지 않았다.

나는 부엌으로 달려갔다. 고맙게도 음식물 쓰레기 배출구가 있었다. 아이가 들어가기엔 충분해 보였다. 그리고 완강기는 탈착식이었다. 나는 완강기를 뽑아 부엌으로 끌고 갔다. 내 계획을 눈치챈 아이는 내가 완강기를 식탁 다리 사이에 고정하는 동안 크래들을 입었다.

"탐정님은 어떻게 하실 거예요?"

아이는 내가 던진 나무 상자와 공책을 크래들 사

이에 끼우며 물었다.

"늘 하던 대로."

나는 크래들을 입은 아이를 배출구로 밀었다.

문이 부서지는 소리가 들렸다. 나는 전기총을 뽑아 들고 기다렸다. 잘하면 아이가 다 내려간 뒤에 배출구로 탈출할 수 있을지도 모른다. 조금 좁아 보였지만 내 몸 정도는 통과할 수 있을 거 같았다. 그게 안 된다면…

덩치 큰 남자 두 명이 부엌으로 뛰어 들어왔다. 한 명은 얼굴이 친숙했지만 어디서 보았는지 떠올릴 여유 따윈 없었다. 전기총에서 발사된 침이 녀석의 목에 박혔고 찢어지는 듯한 비명과 함께 덩치는 부엌 바닥에 쓰러졌다. 두 번째 덩치가 짧게 자른 쇠 파이프를 들고 나에게 덤벼들자 나는 녀석의 다리 사이로 미끄러지면서 가랑이 사이에 두 번째 침을 박았다.

거실로 달려가니 아까 VPL 직원 행세를 하던 남자가 다른 덩치 둘과 함께 서 있었다. 그 겁먹은 얼굴을 보니 진짜 직원일 수도 있다는 생각이 들었다. 자길 VPL 직원이라고 소개한 건 고객을 위한 경고가 아니었을까. 남자는 나와 얼굴이 마주치자 뭔가 말하려는 듯 입을 크게 벌렸고 그 순간 나는 목에 날카로운 충격을 느꼈다. 세상은 순식간에 색을 잃었고 온몸의 감각이 사라졌다. 나는 내 몸이 쓰러지며 내는 둔탁한 소리를 들으며 정신을 잃었다.

3.

희미한 바이올린 소리와 함께 내 몸의 감각이 서서히 되살아났다. 내 엉덩이와 등에 닿아 있는 식당 나무 의자와 내 두 손을 결박하고 있는 나일론 밧줄의 감촉. 불필요하게 선정적인 상황이 아니라 다행이었다. 세상이 멸망하는 와중에 그런 곤경까지 덤으로 겪는다면 너무한 일이었다.

바이올린 선율은 거실 탁자 위에 놓인 전자 축음기에서 들려오고 있었다. 뱅퇴유 바이올린 소나타 3번인가 4번인가 그랬다. 아, 3악장이 스케르초이니 4번이군. 이 상황에서 19세기 프랑스 음악으로 분위기를 잡으려 하다니 눈을 뜨기 전에도 누군지 알 것 같았다. 녀석은 4개월 전에 베이징에서 죽은 것으로 되어 있었지만 그건 중요하지 않았다.

감각이 돌아오면서 두통이 머리를 찔러 댔다. 나는 이를 악물고 눈을 가늘게 뜨고는 그 잘나 빠진 음악 애호가가 있을 법한 방향으로 고개를 돌렸다.

"세르게이 한?"

말라붙은 눈물로 더러워진 시야 너머로 목이 굵은 대머리 남자의 상체가 들어왔다. 눈을 깜짝이니 왼쪽 볼과 눈 위로 긴 흉터가 난 얼굴이 보였다. 그 상처는 4개월 전에 내가 낸 것이었다. 날아가 버린 왼쪽 눈이 있었던 자리에 시계처럼 생긴 기계 의안이 박혀 있었고 오른쪽 눈과 함께 황동 눈까풀이 깜박일 때마다 차르륵 톱니바퀴가 돌아가는 소리가 났다.

사라지는 미로 속 짐승들

"내가 살아 있는 게 놀랍지 않은가 봐?"

의천 신디케이트 제21대 두목인 세르게이 한이 어울리지 않는 가느다란 목소리로 말했다.

"시체가 나오지 않았다면 죽은 게 아니지. 기대도 안 했어. 그래도 언젠가 끝이 있겠지. 나랑 만날 때마다 당신 몸이 조금씩 줄어들긴 하잖아."

"아이는 어디 있지?"

"몰라. 하지만 당신들이 못 찾았다는 건 알겠네."

"아이는 완강기를 타고 쓰레기 배출구로 나갔다. 하지만 지하 쓰레기장 문 앞은 우리 부하들이 지키고 있었어. 잠긴 문을 부수고 안으로 들어가니 아무도 없었어. 창문은 닫혀 있었고 안에는 음식 쓰레기와 이것밖엔 없었지."

한은 둔중한 몸을 느릿느릿 일으켜 나에게 다가오더니 오른쪽 의수로 쥐고 있던 검은 상자를 흔들었다.

"클라라 스몰린이 찾고 있던 물건이 이거지? 도대체 정체가 뭐야?"

"궁금하면 직접 열어서 확인해 보지 않고?"

"제발! 아직도 우리가 옛날처럼 탐정과 악당 게임을 하고 있다고 생각해? 우주가 멸망하고 있는 지금 이 상황에서도?"

"그럼 지금부터라도 악당처럼 굴지나 말든가."

한은 고함을 질렀다.

"알았어! 풀어 줘!"

내가 아까 목에 침을 박은 1번 덩치가 음흉한 표정을 지으며 다가오더니 칼로 내 두 손목을 묶고 있던 밧줄을 잘랐다. 나는 양 손목을 번갈아 문지르며 다리를 꼬았다. 한은 다탁에 상자를 올려놓고 천천히 이야기를 시작했다.

"어떻게 되었는지 설명하지. 우리는 몇 달 전부터 인류의 멸망을 막을 방법을 찾고 있었어. 정부들은 손을 놓고 있고 대중은 미쳐 가고. 실제로 존재하는 다섯 개의 도시 모두에 안정된 조직망을 갖추고 있는 건 신디케이트뿐이지. 공황 상태에 빠진 전문가들을 정신 차리게 할 수 있는 것도 우리뿐이야. 여기까지 그렇게 이해하기가 어려운가? 우리가 우주가 멸망하는 걸 구경하면서 좋아해야 해? 그게 당신이 생각하는 우리야?"

"아니, 충분히 이해가 가. 당신도 놀이터가 사라지는 건 싫겠지."

"하지만 클라라 스몰린은 우리를 믿지 않았어! 우주 종말을 막을 수 있는 키를 쥐고 있었는데도 우리에게 그걸 숨겼어! 우리가 우주의 유일한 희망이라고 그렇게 말했는데도 우리를 피해 루즈벨트 시티로 내뺐고 도시와 함께 사라져 버렸지!"

"스몰린이 갖고 있는 게 그렇게 중요하다는 걸 어떻게 알아? 그 사람은 과학자도 아니잖아. 그냥 이상한 일을 많이 겪은 정신 나간 사립 탐정이라고."

"하지만 송지윤은 다르지. 유저니까. 그리고 결정적인 무언가를 남편이 금고에 보관하고 있었다

사라지는 미로 속 짐승들

는 것도. 이게 그건가? 우리가 도청한 전자 통신 문에는 '검은색 나무 상자'라고 되어 있는데?"

"당신들은 송지윤이 유저라는 걸 증명할 수는 없어. 그건 누군가가 신이라는 걸 증명하는 것과 같아. 일단 유저라는 게 존재하긴 하는지도 모르잖아."

"송지윤이 유저가 아니라면 지금까지 이 사람이 책과 기사에 남긴 단서는 뭐지? 송지윤은 우리를 걱정하고 탈출할 수 있는 길을 알려 준 유일한 유저야. 우리의 프로메테우스!"

그 뒤에 이어지는 한의 장황한 연설은 제대로 따라잡지 못했다. '눈 덮인 미로 속 짐승들' 시리즈의 모든 문장을 통째로 암송하고 있어야 이해가 가능했는데, 나에게 그건 10여 년 전에 첫 권만 읽은 도시 괴담집 시리즈에 불과했고 그 내용도 가물가물했다. 무엇보다 8년 넘게 페트로그라드에서 살다 온 내 머릿속에서 의천 지리에 대한 기억은 많이 흐려져 있었다. 하지만 하나는 분명했다. 한이 지난 몇 개월 동안 '전문가들'을 갈구며 만들어 낸 이론은 종교적 믿음 이상도 이하도 아니었다. 어느 순간부터 송지윤의 책들은 무오류의 성서가 되었고 그 무오류성을 증명하는 증거들은 모두 그 책들에서 나왔다. 그 전문가들도 이걸 믿고 있을까? 아니면 협박에 못 이겨 한이 원하는 답만 제공하고 있는 것일까?

뱅퇴유 4번의 마지막 알레그로 악장이 끝났다. 하지만 한의 연설은 끝나지 않았고 점점 이상한 은

애들이 등장하기 시작했다.

"잠깐, 면세구역? 그건 또 뭐야?"

내가 물었다.

"내가 앞에 말했잖아. 도시 곳곳에 숨어 있는 존재할 수 없는 미로라고. 거기에 유저들이 이용했던 통로가 있어. 《눈 덮인 미로 속 짐승들》이라는 제목 자체가 단서. 의천을 포함한 모든 진짜 도시들은 특정 지역에서 복잡성이 비정상적으로 증대되는 미로야. 거기서 차원이 꺾이고 우리가 상상할 수 없었던 일들이 일어나. 우린 우주가 붕괴되기 전에 그 미로를 찾아야 해."

"그럼 너희들이 그렇게 잘 돌리고 있다는 신디케이트 시스템을 이용해 알아서 찾으면 되잖아."

"일반인은 찾을 수 없어. 특별한 능력이 있는 안내인이 필요해. 아까 달아난 그 아이 같은. 그 아이는 면세구역을 찾았어, 그렇지? 아이에겐 능력이 있어. 유저의 딸이니까. 이 도시의 다른 사람들을 살리고 싶다면 아이가 어디에 있는지 말해. 사람들을 구하는 옳은 일이라고."

나는 잠시 고민하다 고개를 저었다.

"아니, 그럴 리가 없어."

"왜 아직도 나를 못 믿는데?"

"아냐. 난 당신을 믿어. 20년 가까이 알고 지냈으니까. 당신은 거짓말쟁이이고 음모꾼이지만 늘 그렇지는 않아. 적어도 나를 납치해 앞에 묶어 놓았을 때엔 언제나 진실만을 말했지. 당신은 처음

사라지는 미로 속 짐승들

부터 끝까지 악당이 아닌 것도 알아. 그래서 당신이 인기 있는 악당인 거야. 매번 나쁜 일을 저지르지만 공감할 수 있는 구석이 없지는 않거든. 하지만 생각해 봐. 당신이 아무리 공감할 만한 동기로 움직여도 결말은 언제나 나빴어. 당신은 악당으로 프로그래밍 되었으니까. 당신은 온전히 선한 일을 할 수가 없어. 머릿속 무언가가 막고 있다고. 내가 무슨 짓을 해도 늘 어느 단계에서 잡혀 당신 앞으로 끌려오는 것처럼."

"그건 유저들이 방해했기 때문이야. 지금은 유저들이 도시를 떠났어. 우리에겐 자유의지가 있어. 지금 도시에서 일어나는 모든 일은 우리 자유의지의 결과야."

"그걸 어떻게 알아? 이것도 지겨워진 유저의 게임일 수도 있어. 세상 종말을 다룬 이야기는 흔해 빠졌어. 이번 것도 세상을 구하겠다며 설치는 세르게이 한이 으스대며 플러그를 뽑는 순간 우주가 끝나는 이야기일걸. 끝나면 유저들은 점심 먹으러 갈 거고 그뿐이겠지."

"우리에게 자유의지를 주고 사태를 해결하는지 궁금해하며 지켜보는 것일 수도 있어."

"그럼 이 일에 더 어울리는 다른 사람에게 권한을 줘. 당신을 봐. 30년 동안 악당들과 어울리며 살아서 악당 같은 생각밖에 못 해. 세상 사람 모두가 당신 같다고 생각하고 다른 방향으로 상상이 안 닿지. 그러니 아무리 당신의 의도가 좋고 힘이 있어도…"

한은 갑자기 움찔했다. 다닥거리는 희미한 소리가 들렸다. 다탁 위에 놓인 검은 상자가 흔들리고 있었다.

"이게 뭐지?"

한이 물었다.

"궁금하면 그냥 열어 봐. 겁나서 그래?"

한은 주저하다가 뚜껑을 열었다. 상자 속 작은 상자들이 바르르 떨고 있었다. 황동으로 만든 검지가 그중 가장 작은 상자를 건드렸다.

그 순간 폭발이 일어났다. 수많은 작은 상자들이 검은 상자에서 튀어나와 거대한 꽃을 피웠다. 순식간에 나무 상자로 만들어진 꽃다발이 꿈틀거리면서 거실 절반을 채웠다. 꽃 하나가 나를 향해 거대한 입을 벌렸고 그 안에서 익숙한 속삭임이 들렸다.

"들어와, 라다!"

나는 아무 주저 없이 꽃 안으로 뛰어들었다.

4.

꽃 안은 꿈틀거리는 나무 내장 같았다. 바닥과 벽을 이루는 나무 상자들은 피아노 건반처럼 달각거렸고 나는 계속 발이 걸려 휘청거렸다. 내가 들어온 입구는 곧 닫혔지만 상자는 존재하지 않는 광원에서 온 빛을 받은 것처럼 자연스럽게 빛났다.

"라다 문!"

사라지는 미로 속 짐승들

아주 가까운 곳에서 한의 목소리가 들렸다. 바로 내 등 뒤에 있어도 이상하지 않았지만 뒤돌아봐도 보이지 않았다. 내 이름을 부른 반복되는 목소리는 거의 내 몸을 뚫고 나를 앞질렀다. 뒤를 이어 수많은 발소리가 사방으로 흩어져 갔다.

크고 억센 손이 옆에서 내 팔을 잡았다. 클라라 스몰린이었다. 키가 190센티미터가 넘는 전직 비밀 경찰은 막 낭떠러지로 떨어지려는 나를 인형처럼 집어 들어 옆에서 점점 커지기 시작하는 통로에 밀어 넣었다.

"많이 늦었나요? 최대한 빨리 오려고 했는데 지금이 한계였어요."

서영의 목소리가 어둠 속에서 들렸다.

"로터스 마취약의 효과를 생각해 보면 한 시간 정도 걸렸겠지. 많이 안 늦었…"

그림자 속에서 나온 서영의 얼굴을 보고 나는 움찔했다. 한 시간 전에 쓰레기 배출구로 내가 밀어 넣은 아이가 아니었다. 키는 이제 나와 비슷했고 나이도 두 살 정도 많아 보였다. 호사스러운 외출복 대신 낡은 러시아 사병 군복처럼 보이는 옷을 입고 있었고 군데군데 그을린 가죽 숄더백을 메고 있었다.

"2년 반이 걸렸어요. 제가 상자 속으로 들어가고 8분 뒤부터 바깥 세계의 시간은 면세구역의 시간보다 느리게 흘렀어요."

"완강기에서 내려 곧장 상자 안으로 들어갔던

거니?"

"네, 다른 방법이 없었어요. 고맙게도 상자는 안에서 훨씬 쉽게 접혀요. 아버지가 그렇게 오래 실험했다면 모를 수가 없었을 텐데. 분명 공책에 정보를 남겼을 텐데. 탐정님 생각이 맞아요. 아버지는 저를 위해 겨우 존재하는 사람이었어요."

나는 스몰린에게로 고개를 돌렸다.

"그렇다면 너는? 루즈벨트 시티와 함께 사라진 게 아니었어?"

"루즈벨트 시티가 사라지기 전에 난 그 도시의 면세구역에 있었어. 면세구역이 뭐냐 하면…"

"알아, 한에게서 들었어."

"면세구역은 시공간의 논리를 초월하는 미로의 네트워크이고 존재하는 네 개의 도시를 연결하고 있지. 루즈벨트 시티가 사라진 뒤에도 면세구역은 남아 있어. 이 상자의 터널도 면세구역의 일부지."

"한이 맞았군. 이 안에 들어가면 사람들이 살 수 있는 거야!"

스몰린은 고개를 저었다.

"아냐. 그렇게 단순하지 않아. 이건 사느냐, 죽느냐의 문제가 아니야. 우리의 우주가 거대한 컴퓨터의 꿈에 불과하다고들 하지? 여기서 도시들이 갑자기 존재하길 멈추는 건 그 컴퓨터에게 꿈에 투자할 여력이 없다는 뜻이야. 게임보다 더 중요한 일이 바깥세상에서 일어나고 있고 컴퓨터는 갖고 있는 모든 걸 거기 퍼부어야 해. 그쪽에 비하면 우리의 존재는 상대적으로 덜 중요해."

"근거 있는 소리야? 아니면 유저 가설처럼 그럴싸하게만 들리는 또 다른 이론이야?"

"면세구역 안에는 이 공간에 대해서만 2세기 넘게 연구한 학자들의 집단이 있어. 대부분 탁상공론이었지만 지난 몇 개월 동안 이상 현상이 일어나자 사정이 바뀌었지. 저들은 우리 우주에서 일어나는 일들을 정교하게 설명하고 미래를 예측할 수 있는 모형을 만들었어. 우린 이를 통해 우리를 꿈꾸는 컴퓨터가 어떻게 작동하고 어떤 장단점을 갖고 있는지 추정할 수 있어. 그 모델 때문에 나와 저 아이가 살아남아 지금처럼 상자를 작동시켜 문을 열 수 있었던 거야. 그 모델에 따르면 이 컴퓨터는 외부의 물리적 위기에 맞서 싸우고 있어. 위기를 극복하지 못하면 우리는 사라질 것이고 극복한다면 사라진 도시들에게 다시 시공간을 되찾을 수 있는 기회가 생길 수도 있겠지. 우린 저들에게 모든 걸 맡기고 아무것도 하지 말아야 해."

"그건 말도 안 되는 소리야, 클라라 스몰린."

한은 서영의 허리를 움켜쥐고 아이의 머리에 권총 총구를 들이대고 있었다. 예측했어야 했는데. 우리가 아는 우주에서 세르게이 한처럼 아이를 능숙하게 인질로 잡는 사람은 없었다. 아무리 그 아이가 똑똑하고 야무져도, 아무리 주변이 안전해 보여도, 녀석은 아이의 머리에 총구를 들이대기 마련이었다.

"당신이 지금까지 한 말은 몽땅 헛소리야. 사람

목숨이 중요해. 여긴 의천이 사라져도 수만 명을 살릴 수 있는 은신처야. 당장 문을 열고 사람들을 불러!"

두진체프 극장 학살극의 장본인에게서 이런 말이 나오다니 잠시 적응이 안 되었다. 하지만 지금이 상황에서 인류를 구하려고 애쓰는 주인공은 우리가 아니라 한이었다. 아무리 그림이 익숙하다고 해도 벌어지는 일의 의미는 달랐다.

"바깥 사람들은 죽는 게 아니라 그냥 존재를 멈추는 거야. 모든 게 정상화되면 다시 시작할 수 있어."

스몰린이 말했다.

"그리고 너를 포함한 이 도시의 모든 사람은 지난 몇십 분 동안 이전보다 덜 존재해 왔어. 외부 컴퓨터의 부담을 덜기 위해 시간이 느리게 흘렀으니까. 이러다가 여기 시간으로 몇 분 뒤면 도시 전체가 정지하게 돼. 루즈벨트 시티에서도 그랬어. 면세구역의 문을 모두 열고 신디케이트의 능력을 총동원해 사람들을 몰아넣는다고 해도 이미 늦었어."

"그건 면세구역 안의 너희들만 살아남겠다는 이야기잖아!"

"아니야. 면세구역에 사는 거주자 대부분은 1년 전부터, 그러니까 의천 시계로 30분 전부터 자발적으로 존재를 중단했어. 컴퓨터의 부담을 덜려고. 지금 면세구역엔 비상시를 대비한 열두 명만

사라지는 미로 속 짐승들

남아 있어."

"그럴 리가 없어! 거짓말이야."

짜증이 난 내가 끼어들었다.

"아까 내가 말했지, 한. 세상 사람들은 모두 너 같지 않아. 너는 인간이라는 짐승으로서 욕망에 따라 행동하는 것만 이해하지. 네가 도시 사람들을 구하려는 것도 그 때문이야. 너에게 익숙한 그 욕망과 체험을 남기려고. 하지만 너의 경험 바깥엔 다른 사람들이, 다른 존재들이 있어. 네가 늘 막판에 실패했던 것도 그 때문이야. 나를 포함한 너의 적수들은 늘 네 예측에서 벗어났지. 더 나쁘거나, 더 선하거나. 그리고 넌 이번에 네가 상대하는 적수를 끝까지 이해할 수 없어."

한은 으르렁거리며 서영을 뒤로 잡아끌었다. 다섯 걸음을 내딛기도 전에 갑자기 서영은 발이 걸린 것처럼 휘청거리다가 은근슬쩍 자유로워진 왼손으로 한의 총을 잡고 총구의 방향을 바꾼 뒤 방아쇠를 당겼다. 발사된 총알은 한의 오른쪽 볼을 스치고 날아가다 나무 상자 벽에 박혔다. 나와 스폴린은 총을 다시 고쳐 잡으려는 한에게 달려들었다. 우리 셋은 두 발의 총성과 함께 한꺼번에 넘어졌다.

일어나 보니 한은 죽어 있었다. 쥐고 있던 총에서 발사된 총알들이 연달아 턱을 뚫고 머리를 관통했던 것이다. 총알 하나가 의안을 지나쳤는지 인공 신경이 연결된 스프링 끝에 매달린 수정 눈동자가 튀어나와 있었다. 이게 내 악당의 진짜 끝이군. 조직

범죄와 정치 암살로 수백 명을 죽이고 고문하며 살다가 막판에 인류의 미래를 위해 싸우다 죽었어. 이정도면 나쁘지 않은 묘비명이었다.

"이제 어떻게 되는 거야?"

내가 물었다.

스폴린은 서영의 숄더백에서 커다란 회중전등 같은 기계를 꺼냈다. 알파벳이 적힌 원판들이 각기 다른 속도로 돌고 있었다.

"의천은 이미 몇 분 전에 정지했어. 우리가 할 일은 기다리는 것밖엔 없어. 실망스럽네. 우린 막판엔 늘 바빴잖아. 주인공이라 할 일이 많았고 끝나면 몸이 피곤하고 아파도 자랑스러웠지. 하지만 이번엔 우린 그냥 하찮고 무의미한 단역일 뿐이야."

"그럼 왜 나를 구하러 온 거야?"

"잠시 우주와 함께 존재를 멈추는 것과 악당 앞에서 깐죽거리다가 총에 맞아 죽는 건 사정이 다르잖아. 우리가 막지 않으면 넌 세르게이 한에게 맞아 죽을 거 같았어."

우리 셋은 한의 시체를 떠나 천천히 걷기 시작했다. 여전히 여기저기에서 발소리와 고함이 가까워졌다 멀어졌지만 우리의 길과 겹치지 않았다. 5분 정도 걷자 녹색 나무 문이 나왔다. 서영은 커다란 구식 열쇠를 꺼내 구멍에 꽂아 돌렸다.

면세구역은 평범했다. 번화가에서 조금 떨어진 곳에 있는 낡고 한가한 골목. 단지 사람 하나 없이

사라지는 미로 속 짐승들

텅 비어 있었고 차들은 모두 서 있었다. 둘러보니 얼마 전 그림에서 본 인형 극장이 골목 끝에 있었다. 면세구역의 하늘은 아까 봤던 하늘보다 더 인공적이었다. 색을 잃은 회색 캔버스.

"저기 보세요."

서영이 내 소매를 끌고 반대 방향을 가리켰다.

우리가 나왔던 녹색 문보다 두 배 정도는 높아 보이는 녹색 문이 길 한가운데에 서 있었다. 분명 몇 초 전에는 없었던 것이었다. 문틈 사이로 파란 빛이 스며 나오고 있었다. 우리는 문을 열고 안으로 들어갔다.

5.

바깥은 낯선 별이었다.

그리고 우리도 이제 사람이 아니었다.

우리의 몸은 이제 둔한 빛을 내는 회색 천이 피부 대신 온몸을 감싸고 있는 직립 로봇이었다. 몸의 비율과 관절 구조가 인간의 몸과 거의 비슷했기 때문에 걷는 것이 그렇게 어렵지 않았다. 하지만 두 개의 작은 눈구멍을 제외하면 밋밋하기 짝이 없는 타원형의 머리는 적응이 잘 되지 않았다. 세 개의 몸이 정확하게 똑같았기 때문에 누가 스몰린이고 누가 서영인지 처음엔 잘 구별이 되지 않았다.

우리가 있는 곳은 주황색 달이 천천히 지평선 아래로 지고 있는 행성의 표면이었다. 아니, 그 주황색 무언가가 행성이고 우리가 있는 곳이 위성일지도 모르지. 몇 초 동안 화성이 아닐까 생각했지만, 아니었다. 화성과는 모양이 달랐다.

무엇보다 그 뒤의 별들이 달랐다. 어마어마한 크기의 나선 은하가 하늘 절반을 덮고 있었다.

"안드로메다 성운이에요."

서영이 말했다.

"학교에서 배웠어요. 안드로메다와 우리 은하는 점점 가까워지고 있고 결국 하나로 합쳐진다고요."

"그게 언제인데?"

내가 물었다.

"아주 먼 미래요. 40억 년 뒤?"

"지금이 40억 년 뒤라고?"

"아직 충돌할 만큼 가깝지 않으니 20, 30억 년 뒤가 아닐까요?"

"아닐 수도 있어."

스몰린이 말했다.

"우리가 허구의 존재라면 우리의 천문 지식 역시 진짜라는 법은 없어. 지구 역시 허구의 은하계에 있는 허구의 행성일 수도 있잖아."

서영은 고개를 저었다.

"그렇게까지 우리를 속이지는 않았을 거예요. 우리가 어느 정도 쓸모 있는 존재이기 때문에 여기

사라지는 미로 속 짐승들

까지 나올 수 있었던 것이니까요. 우리가 아는 모든 게 진짜는 아니었을 거예요. 역사의 일부는 게임 안에서 진행되었기 때문에 허구겠지만 그 이전의 역사, 지구의 역사, 은하계의 역사는 진짜였을 거예요. 그러니까 우린 진짜 20, 30억 년 뒤 우리 은하계의 다른 행성에 있는 거예요."

"하지만 왜 그렇게 뒤야?"

"우주선이 느리기 때문에? 지구에서 문명을 보존하기 위해 수많은 우주선을 날렸다고 생각해 봐요. 가까운 행성계도 4.3광년 너머에 있으니 우주선은 아주 빨라야 할까요? 아닐 수도 있어요. 인간 승무원이 타고 있다면 속도가 중요하겠지만 우린 인간의 정신을 모방한 이진법 데이터에 불과하잖아요. 지구 문명의 보존 자체가 목적이라면 다른 행성계에 몇천만 년, 아니, 몇억 년 뒤에 도착해도 상관은 없어요. 오히려 더 나을 수도 있고. 몇천만, 몇억 년의 시간 차를 두고 계속 지구 문명이 다시 태어나는 거예요. 이런 우주선 수백, 수천 대가 은하계에 떠돌고 있을지도 몰라요. 그중 하나가 몇십억 년 뒤에 다른 행성계에서 깨어났고, 지금까지 우리가 게임이라고 생각한 체험은 그 깨어남의 과정이었을 수도 있어요. 아니면 우린 인간 대신 선정된 기성품 게임 캐릭터일 수도 있고. 가장 무난한 선정이니까요. 우린 소설이나 영화 주인공보다 데이터 양이 많고 자유의지도 있잖아요."

"외부 컴퓨터가 겪었다던 위기 상황은?"

"모르지요. 하지만 저게 정상적인 착륙 같지는 않잖아요?"

아이는 우리가 나온 녹색 문 뒤를 가리켰다. 문 뒤에는 거대한 물주머니처럼 보이는 흰색 물체가 크레이터 가장자리에 회색 먼지를 뒤집어쓰고 앉아 있었다. 내가 생각하는 우주선과 그리 닮은 구석은 없었지만 다른 행성계로 우주선을 쏘아 올릴 수 있는 시대엔 저 모양이 자연스러울지도 모르지.

나는 주변을 둘러보며 몸을 움직여 보았다. 중력은 지구와 비슷한 것 같았지만 로봇 몸의 무게가 얼마나 되는지 알 수 없으니 짐작일 뿐이었다. 대기는 없었다. 액체 상태의 물도 없을 거 같았다. 인간이 살 만한 곳 같지는 않았다. 하지만 저 물주머니가 꾸는 꿈속에 수많은 도시와 그 안을 채운 수천만 명의 사람들이 있다면 굳이 이 행성에 생물학적 사람들이 살 수 있는 조건을 만들 필요가 있을까?

나는 앞으로 우리가 할 일을 생각해 보았다. 위기 상황이 정말로 끝났다면 저 물주머니는 우리에게 바깥 세계에 대한 정보를 줄 것이다. 물주머니도 아는 것이 별로 없다면 우리가 직접 알아내야 할 것이다. 나는 우리가 이 로봇 몸을 이용해 이 행성에 세울 미래의 도시를 상상해 보았다. 몇 년이나 걸릴까. 그 도시는 의천이나 페트로그라드와 얼마나 다를까. 그 도시를 채울 시민들은 인간들과 얼마나 다를까.

세르게이 한이 좋아할 만한 곳은 아닐 것 같았다.

사라지는 미로 속 짐승들

우리는 다시 문을 열고 면세구역으로 돌아왔다. 문을 지나는 순간 우리는 이전 몸을 되찾았다. 아까의 로봇 몸은 우리가 빠져나가는 순간 정지되었을까? 아니면 우리가 들어가기 전에 하고 있었던 작업으로 돌아갔을까?

물론 저 세계 역시 허구일 가능성 역시 지울 수는 없다.

하늘이 점점 밝아지며 푸른빛을 되찾았다. 사방에서 구름이 몰려왔고 잔잔한 찬바람이 불어왔다. 아스팔트 바닥에 깔려 있던 낙엽들이 소용돌이 바람에 쓸려 날아올랐다. 군데군데 창문이 열렸고 어리둥절한 표정의 얼굴들이 나왔다. 면세구역의 사람들이 다시 존재하기 시작한 것이다.

에헴 하는 헛기침 소리가 들렸다. 상자와 연결되어 있던 녹색 문이 열려 있었고 얼마 전 자신을 VPL 직원이라고 소개한 남자가 어정쩡한 자세로 서 있었다. 남자는 멍한 미소를 지으며 우리에게 양손을 들어 흔들었다.

"저는 VPL 직원 쉬지닝(徐吉寧)이라고 합니다."

남자는 시선을 내 배 근처에 고정하고 떨리는 목소리로 말했다.

"저의 신원을 증명할 수 있는 카드가 제 주머니 안에 있습니다. 아까는 죄송하게 되었습니다. 협박 때문에 어쩔 수 없었습니다. 그래도 변명하자면 전 가능한 한도 내에서 최대한 회사 지침을 따랐습니다."

스몰린은 남자의 외투 안주머니에서 지갑을 꺼내 카드를 확인했다. 남자는 들고 있던 양손을 내리고 지갑을 돌려받았다.

"아까 제가 들고 있었던 것은 신디케이트 소속 신사분들이 문을 열게 하려고 저에게 억지로 떠넘긴 것입니다. 운이 나빴습니다. 하지만 전 우서영 고객에게 보낼 진짜 소포를 갖고 있었습니다. 이 카드에 왼손 엄지 지문을 찍어 주시겠습니까?"

서영은 머뭇거리며 다가와 카드에 엄지를 찍었다. 남자는 카드를 주머니에서 꺼낸 길쭉한 상자 안에 넣었다. 딸깍 하는 소리가 났고 뚜껑이 열렸다. 안에는 편지 봉투 하나와 축소 복사된 작은 글씨의 두툼한 원고가 들어 있었다. 나는 원고의 제목을 훔쳐보았다. 《눈 덮인 미로의 짐승들 4권 – 포효하는 연옥의 호랑이들》.

"송지윤 고객께서 13년 전에 맡기셨습니다. 지금까지 회사 금고에 보관되어 있었고 어제 배달을 요청하는 전자 통신문이 왔습니다."

서영이 편지를 받자, VPL 직원은 정중하게 허리를 숙여 절을 하더니 녹색 문으로 들어갔다. 길을 찾을 수 있을까 걱정했지만 남자는 이미 사라지고 없었다. 하긴 우리가 VPL 직원이 길을 잃을까 걱정하는 건 좀 주제넘어 보였다.

아이는 구식 필기체로 자신의 이름이 쓰여 있는

사라지는 미로 속 짐승들

봉투를 말없이 손으로 쓸었다. 10년 가까이 고민해 왔던 질문에 대한 해답이 그 안에 있었다. 하지만 우리가 살아온 세계가 모두 허구라는 게 밝혀지고 바깥세상의 정체가 드러난 지금, 그 해답은 어떤 의미가 있을까. 아니면 우리가 속한 게임은 아직 끝나지 않았고 그 해답은 우리에게 또 다른 세계의 문을 여는 열쇠일 수도 있는 게 아닐까? 의외로 세르게이 한이 아주 틀리지 않았을 수도 있는 것이다.

"나중에 읽을래요."

서영은 봉투와 원고를 숄더백에 넣고 단추를 잠갔다.

"한 번에 하나씩. 지금 먼저 처리해야 할 일이 있으니까요."

아이는 씩씩하게 앞으로 걸었고 우리는 느긋하게 뒤를 따랐다. 상가 여기저기에서 문이 열렸고 사람들이 걸어 나왔다. 골목 저 너머에서 자동차와 전차가 내는 희미한 소음이 들려왔다.

잠시 잠들었던 우리의 우주가 깨어나고 있었다.

불가사리를
위하여

듀나

1.

화가의 친구들은 나를 나무에 묶어 두고 떠났다.

몸을 비틀어 보았지만 소용없었다. 밧줄은 튼튼했고 매듭은 단단했다. 할 수 있는 일이라곤 구부정하게 꺾인 무릎을 펴 나무를 등지고 일어서는 것밖에 없었다. 다시 터진 이마의 상처에서 흘러나온 끈적거리는 피가 코를 타고 흘러내렸다. 화가가 생전에 온갖 간지러운 미사여구로 칭찬했던 내 코는 남자들의 주먹질로 뼈가 부러졌고 콧물과 피로 콧구멍이 막혀 있었다.

해가 지고 있었다. 서늘한 저녁 바람이 개울물과 오줌으로 젖은 내 찢어진 옷과 살갗 사이로 스며들어 왔다. 나는 부르르 몸을 떨고 뒤틀었다. 저고리 밑 등가죽이 벗겨질 것 같았지만 어쩔 수 없었다. 가만히 앉아 불가사리의 밥이 될 수는 없었다.

멀리서 흥얼거리는 노랫소리가 들렸다. 여자 목소리 같기도 했고 남자 목소리 같기도 했다. 내가 아는 조선 노래는 아니었다. 미국인인가? 영국인인가? 아니면 네덜란드인? 나라에서는 막았지만, 여전히 호기심에 이끌린 수많은 서양 사람들이 바다를 건너고 산을 넘어 우리 마을로 들어와 머물렀다. 이 지역 관리들은 완전히 손을 놓았다.

저녁 해를 등지고 선 크고 비쩍 마른 몸 때문에 서양 사람인 줄 알았다. 하지만 아니었다. 심지어 남자도 아니었다. 시간인 여자였다. 흥얼거리는 노래의 가사도 들어 보니 조선말과 비슷한 구석이 있었다.

나는 고함을 질렀다. 도와 달라고 외치려 했지만 말라붙은 내 목구멍에서 흘러나온 소리는 짐승의 울부짖음에 가까웠다. 상관없었다. 시간인이건, 서양인이건 내 말을 못 알아듣는 건 똑같을 테니까.

노래가 멎고 눈앞에서 불빛이 번쩍였다. 무언가가 내 얼굴에 하얀 빛을 쏘고 있었다. 내가 눈을 껌뻑이는 동안 시간인은 그 번쩍이는 것을 들고 천천히 언덕을 올라왔다. 하얀 빛이 꺼졌고 주변을 감싸는 노랗고 둥그런 빛이 우리 둘을 감쌌다. 나는 그제서야 시간인의 둥근 눈과 뾰족한 턱을 볼 수 있었다.

걱정이 됐다. 시간인 기준에 무엇이 정상인지 내가 어떻게 알겠냐마는, 가는 목 위에서 좌우로 흔들리는 얼굴과 퀭한 눈과 끝없이 웅얼거리는 콧노래에는 믿음이 가지 않았다. 여자가 입고 있던 코트 주머니에서 칼을 꺼내자 나는 눈을 감았다.

밧줄이 끊어졌다. 해방된 나는 털썩 흙바닥에 쓰러졌다. 시간인은 떨리는 손으로 내 어깨를 잡았다.

지금까지 참고 있던 눈물이 터져 나왔다. 나는 눈물과 콧물과 코피로 범벅이 된 채 엉엉 울었다.

울음이 잦아들자, 시간인은 나를 일으켜 세웠다. 주머니에서 축축한 수건을 꺼내 내 얼굴과 이마를 닦아 주었다. 진정한 나는 여자를 따라 천천히 언덕을 내려갔다. 마을에 남은 아버지에 대한 미련은 없었다. 집 안에 쳐들어온 남자들이 막내딸을 구타하고 끌어내는 걸 멀뚱멀뚱 바라보고만 있던 표정 없는 얼굴이 떠올랐다. 그 남자에게 나는 지나치게 많은 딸 중 한 명일 뿐이었다. 이름이나 제대로 알았을까. 내가 의무적으로 바쳐야 했던 애정은 그 사람에게 무슨 의미가 있었을까.

시간인의 집은 언덕 밑에 있었다. 하얀 반구형이었고 동그란 작은 창이 군데군데 나 있었다. 집 밖에는 투박하게 만들어진 나무 탁자와 의자 두 개가 놓여 있었고 나보다 별로 큰 것 같지 않은 통통한 여자 한 명이 앉아 책을 읽고 있었다. 도서관 하나가 다 들어 있다는, 금속과 유리로 만든 마법책이었다.

작은 여자는 우리를 보자 책을 접어 탁자 위에 놓고 뭐라고 외치며 달려왔다. 나는 그 말 대부분을 알아듣지 못했다. 긴 팔을 휘두르며 더듬더듬 떠들어 대는 키 큰 여자로부터 사정을 파악한 작은 여자는 마법책을 만졌다. 여자가 말을 하자 책은 어린아이 목소리로 그 말을 통역했다.

"많이 다쳤나요?"

불가사리를 위하여

여기서부터 글쓰기가 좀 이상해진다. 나는 지금, 당시 내가 알아듣지 못했던 바로 그 언어로 이 이야기를 쓰고 있다. "많이 다쳤나요?"는 그 작은 여자가 말했던, 내가 알아듣지 못한 원래의 문장이었다. 나는 내가 당시 썼던 말, 그러니까 내가 살았던 시간선의 19세기 중반 조선의 강원도 사람들이 썼던 방언을 비교적 정확하게 기억하지만 지금 와서 이를 재현하는 것은 무의미한 일이다.

두 여자는 나를 집 안으로 데리고 갔다. 욕실로 데리고 가 넝마가 된 옷을 벗기고 몸을 씻기고 말리고 터진 상처를 치료했다. 작은 여자가 파란 파자마를 가져와 나에게 입혔다. 내 옷은 소각기로 들어갔다. 어머니가 세상을 뜨기 전 마지막으로 지어 준 옷이었지만 감상이랄 건 없었다. 대신 내 관심은 파자마에 달린 단추에 쏠려 있었다. 마을 남자들의 반은 서양 옷을 받아들였지만, 여자들은 여전히 우리옷을 고수했고, 나는 단추가 달린 옷을 그날 처음입어 보았다.

마음이 편해졌다. 키 큰 여자만 있었다면 불안했으리라. 하지만 이 집의 두목은 작은 여자였고 친구와는 달리 멀쩡해 보였다. 무엇보다 나는 그들이 사는 집과 사랑에 빠졌다. 계곡을 스치는 날카로운 겨울바람을 막아 주는 하얗고 밝고 깨끗하고 따뜻한 공간. 나는 그 순간처럼 내가 보호받고 있다고 느꼈던 적이 없었다. 안심한 나는 앉아 있던 소파에서 거의 기절하듯 쓰러져 잠들었다.

2.

키 큰 여자의 이름은 지호였고, 작은 여자의 이름은 성초였다. 엘더베리가든의 지호와 성초. 엘더베리가든은 '아직까지 남아 있는 케이팝 유물'이었다. 그들이 온 시간선의 미래에서는 무리 지어 다니는 예인들이 패거리 이름을 성 대신 썼다고 했다. 그들에게 아버지의 성은 중요하지 않았다. 같이 있는 친구들이 더 중요했다.

그들은 예인이 아니었다. 성초는 의사였고 지호는 과학자였다. 나는 과학자라는 단어를 몰랐기 때문에 성초는 이를 설명해야 했다. 다행히도 우리가 사는 우주가 어떤 곳인지까지는 설명할 필요가 없었다. 불가사리들이 우리 마을을 찾아온 게 8년 전, 이들이 만든 통로를 통해 시간인들이 동네를 찾기 시작한 건 4년 전부터였다. 우리는 이미 끝없이 갈라지는 평행 우주에 대해 어느 정도 알았다. 세상이 발전하면 과거로 가는 시간 여행이 가능해지지만 그만큼 기술이 발전하면 그 기술로 만들어 낸 기계신이 인간 정신을 지배하여 수많은 사람이 이를 피해 과거로 달아나게 된다는 것도 알았다. 이들은 과거로 돌아가 새로운 기술을 전파했고 결국 그 시간선에서는 다시 인간 정신을 지배하는 기계신을 만들어 낸다고 한다. 결과를 알고 있으니 만들지 않으면 될 텐데, 그런 일은 잘 일어나지 않는 것 같다고, 성초는 말했다.

우리는 투명 외투를 입고 언덕에 앉아 쌍안경으

로 불가사리들을 관찰하고 있었다. 화려한 초록색에 군데군데 빙글빙글 도는 소용돌이 무늬가 박힌 옷이어서 투명 외투라는 이름이 이상하게 들렸지만, 이 옷을 입으면 그들은 우리를 보지 못했다. 마법책으로 파도 소리처럼 나른한 음악을 틀면 우리 목소리나 발소리도 듣지 못했다.

불가사리 두 마리가 네 마리 새끼와 함께 개울을 따라 걷고 있었다. 길이 2.5미터의 어미들은 검은색 전갈과 비슷했다. 단지 여섯 개의 길쭉한 다리는 몸통 옆이 아닌 배 밑에 나 있었고 앞에 난 집게발이 벌어지면 그 안으로 사람의 것과 비슷한 손이 드러났다. 몸 앞에 삐죽 나와 있는 둥근 얼굴은 입 없는 부처상 같았다. 거대한 입은 목 밑, 몸통 앞에 따로 나 있었다. 아무런 계획 없이 사람과 전갈을 반씩 섞어서 검은색을 칠한 것 같은 못생긴 기계였다.

새끼들은 어미들의 미완성품처럼 보였다. 넓은 몸통과 둥근 머리는 어미와 크기가 같았다. 하지만 몸통 뒤로 길게 이어지는 꼬리가 없었고 네 개밖에 없는 다리는 짧고 무릎 관절이 없었다. 짐승의 새끼보다는 미완성의 기계처럼 보였고 실제로 그랬다. 저들은 새끼를 낳는 대신 몸 안에서 부품 하나하나를 만들어 뱉어 낸 뒤 조립했다. 걸을 수 있는 다리가 생기면 새끼들은 어미들을 따라 돌아다녔다.

"저 짐승들이 어디에서 왔는지 우린 몰라요. 우리가 가진 지도 어디에도 저들의 고향은 나와 있지 않으니까요."

성초가 말했다.

여기서 '지도'는 평행 우주의 지도였다. 시간 여행으로 만들어진 수많은 평행 우주는 시간인들이 뚫은 터널로 연결되어 있었다. 이 터널은 쉽게 막혔지만 일단 한 번 생기면 다시 뚫기도 쉬웠다. 시간인 여행자들은 각자의 지식을 모아 지도를 만들었다. 수많은 세계의 지도와 역사가 촘촘히 쌓인 거대한 도서관이었다. 몇몇 세계는 구별이 되지 않을 정도로 비슷했고 몇몇 세계는 전혀 달랐으며 이들 중 일부는 고정된 터널로 연결되어 몇백 년에 걸쳐 하나의 큰 영토가 되기도 했다.

성초와 지호는 다른 우주에서 왔지만 어린 시절부터 친구이기도 했다. 원래 둘은 하나의 세계에 살았다. 하지만 수많은 시간 여행에 의해 그들의 우주는 계속 갈라졌고, 각각의 우주에 수많은 성초와 지호가 생겨났다. 성초와 같은 우주에 있던 지호는 불가사리를 연구하다 목숨을 잃었지만 계속 과거로 가는 시간 여행을 하다 지금의 지호를 만난 것이다.

지금의 지호는 죽은 지호와 달리 정신이 좀 이상했다. 불가사리를 연구하는 동안 그들에게 살해당하는 대신 두뇌 일부가 동화되었다. 뒤통수와 목에 여전히 남아 있는 네모난 화상은 그때의 흔적이었다. 지호는 보통 때는 그럭저럭 멀쩡했지만, 불가사리 무리를 떠나지 못했고 그들의 수호자를 자처했다. 성초는 다시 만난 친구를 버릴 수 없었고 그 옆에 머물렀다. 불가사리들은 시간인들처럼 시간 여

불가사리를 위하여

행을 하며 수를 불렸고 무리는 계속 갈라지고 흩어졌다. 지호는 언제나 작고 어린 무리가 있는 곳에 머물렀고 그 무리가 우리 마을을 찾은 것이다.

지호가 일어났다. 투명 외투를 벗어 풀 위에 얌전히 올려놓더니 갑자기 끽끽거리는 소리를 내며 불가사리 무리 속으로 들어갔다. 불가사리들은 잠시 움찔했지만 지호를 알아보고 곧 경계를 풀었다. 몸짓과 끽끽거림을 동원한 대화가 이어졌다. 어떤 내용인지는 전혀 알아들을 수 없었지만 그렇게까지 친근하거나 편안해 보이지는 않았다. 불가사리들은 지호를 조금 귀찮아하는 것처럼 보였고 지호가 가끔 흥분해 손발을 흔들며 어색한 춤을 출 때는 두 발짝 정도 뒤로 물러나 몸을 수그렸다.

우리는 지호를 따라 개울로 내려갔다. 이제 불가사리들의 얼굴이 분명히 보였다. 새끼 한 마리의 얼굴이 낯익었다. 턱이 잘려 나가고 없었지만 분명 반년 전 열병으로 죽은 내 친구 순덕이의 것이었다. 불가사리들은 인간을 새끼 만드는 재료로 보았다. 그들은 무덤을 파내 시체의 뼈를 꺼냈고 그 위에 살과 금속 껍질을 입혔다. 분노한 마을 사람들이 공격에 나섰지만 모두 처참하게 살해당했고 몇 달 뒤 그들의 얼굴을 한 새끼들이 태어났다. 나는 새끼의 얼굴에서 죽은 친구의 흔적을 찾아보려 했지만 허사였다. 낯선 짐승이 내 친구의 두개골 안에서 살고 있었다.

"어떤 사람들은 저들이 다른 별에서 왔다고 생각

해요. 우리는 아직 지구를 벗어날 수 없지만, 시간 여행의 기술을 이용한다면 다른 별로 가는 것도 가능할 수 있으니까요. 하지만 나의 지호는, 그러니까 제가 전에 알았던 지호는 저들도 지구에서 왔다고 믿었어요. 우리가 아직 접하지 못한 역사 속에서, 인간과 인공지능의 전쟁 사이에서 단 한 번 만들어진 희귀한 존재라고요. 저들을 이해하면 우리가 인간으로 존재하면서도 인공지능과 화해를 할 수 있을 거라고 믿었어요. 지금의 지호도 그걸 믿고 있어요. 적어도 제가 알기로는요."

"그 생각을 믿으세요?"

내가 물었다.

"잘 모르겠어요. 하지만 저들의 지금 모습이 설계의 결과가 아니라는 건 믿어요. 저들은 진화했어요."

나는 진화라는 단어를 제대로 이해하지 못했기 때문에 그 뒤로 긴 설명이 이어졌다. 내가 다윈에서부터 아데오예에 이르는 생물학의 역사를 속성으로 흡수하는 동안 빗방울이 뚝뚝 떨어졌다. 우리는 지호를 잡아끌고 점점 굵어지는 겨울비를 맞으며 집으로 돌아갔다.

집 앞에는 서양 사람 두 명이 검은 우산을 쓰고 서서 우리를 기다리고 있었다. 시간인이 아니라 이탈리아에서 온 학자 남매였다. 이들의 성은 베르다넬리였고 누나는 라우라, 동생은 아벨이었다. 나는 당시 이들의 이름을 몰랐지만 누군지는 알고 있었

불가사리를 위하여

다. 우리 집안을 포함한 마을 사람 상당수가 이들과 거래를 하고 있었다. 이들은 1년 넘게 하인들과 함께 마을 근방에 커다란 텐트를 치고 머물면서 방문하는 시간인들을 인터뷰하고 불가사리들을 연구했다. 둘은 아시아 이곳저곳에 나타나기 시작한 시간인에 대한 이야기를 듣기 전엔 에트루리아라는 옛 나라를 다룬 책을 두 권 썼다고 한다.

성초는 손님들을 집 안으로 초대했다. 그들은 영어로 대화했다. 300년 뒤 외국어처럼 변한 조선어와는 달리 영어는 그리 많이 변하지 않았기 때문에 통역이 필요하지 않았다. 나는 이들의 대화를 따라잡기가 힘들었다. 통역기가 자동으로 영어를 통역했지만, 내가 아는 조선어는 이들의 대화를 따라잡기엔 어휘가 부족했고, 통역기는 종종 멈추어서 각각의 단어들을 풀어 설명해야 했다.

이들은 나를 알고 있었다. 라우라는 내 얼굴을 보자마자 '화가의 애인'이라 말했다. 화가의 그림과 사진은 이 근방에서 유명했다. 그 모델의 절반은 나였다. 처음에는 나도 우쭐했었다. 누군가가 나를 그렇게 다채롭고 아름다운 모습으로 그려 줄 거라고는 상상도 하지 못했으니까. 하지만 그렇다고 해서 내가 그 남자의 소유물이 되어야 한다는 건 아니었다.

이탈리아 사람들은 이해가 잘 안 되는 모양이었다. 그들에게 예술가의 사랑은 고귀한 것이었다. 예쁜 얼굴을 빼면 특별히 내세울 게 없는 나 같은 시골 여자아이는 그 선택을 자랑스러워해야 했다. 지난 한 달 동안 나와 같이 살면서 내 혐오와 분노를 물려받은 성초는 혀를 차면서 '스토커'라는 단어를 썼는데, 남매에겐 이 단어의 의미가 잘 통하지 않아 따로 설명을 해야 했다. 설명을 들은 뒤에도 그들은 '예술가의 열정'을 들어 화가를 변호하려 했지만 성초가 아폴로와 다프네의 이야기를 꺼내자 잠잠해졌다. 왜 눈앞에 있는 사람 말은 듣지 않으면서 옛이야기의 정령에는 설득되는지 여전히 이해가 어려웠다.

하지만 그들도 화가의 친구들이 저지른 일에 대해서는 같이 분노해 주었다. 실연한 화가가 자발적으로 불가사리의 밥이 된 건 슬픈 일이다. 하지만 그렇다고 나를 구타하고 납치해 불가사리의 밥으로 만들려 하다니 그건 야만적인 일이었다.

"사람마다 각자의 이야기가 있고 세상을 이해하려면 이들 모두의 이야기를 들어야 하지요."

성초가 말했다.

"저들은 냉정하고 잔인한 마녀 때문에 상처받은 예술가가 절망해 자살한 이야기를 따르고 있습니다. 하지만 우리가 아는 건 제멋대로인 양반집 아들이 가난한 농갓집 딸을 협박한 이야기예요. 화가의 절망은 아마 사실이겠지요. 하지만 여기 있는 말순 씨의 이야기를 듣기 전에 그 이야기가 완성될 수 있을까요?"

"그것은 불가사리와 기계신의 이야기 없이는 우리의 이야기도 완성될 수 없다는 뜻입니까?"

불가사리를 위하여

아벨이 말했다.

"그렇지요. 우리가 아는 건 인간의 이야기뿐입니다. 기계들에겐 다른 이야기가 있겠지요. 아마 저들을 피해 과거로 달아나는 건 그냥 어리석은 일인지도 모릅니다. 전 전체 이야기를 인간의 입장에서 이해하고 싶을 뿐인데, 이 역시 어리석은 기대인지도 모르지요."

"그렇다면 친구분은요?"

성초는 긴 다리를 꺾고 어색하게 앉아 창문 너머를 바라보는 친구를 서글픈 눈으로 바라보았다.

"아마 지호는 기계신도, 우리도 모르는 다른 이야기를 알고 있겠지요. 그 이야기를 알게 되면 두 이야기를 연결할 수 있을지도 모릅니다. 하지만 전 그냥 알고 싶어요. 평생 친구를 이해할 수 없다는 건 슬픈 일이니까요."

3.

싱가포르에서 온 시간인들이 우리 마을에 도착한 건 다음 해 늦은 봄이었다.

마을 사람들은 이미 시간인들에 익숙했지만, 이번은 사정이 달랐다. 그들은 정식으로 승인받은 외교관이었다. 언젠가 일어날 일이었다. 수많은 시간인들이 다양하게 변주된 미래의 역사를 갖고 왔고, 그중 어느 것도 조선엔 유리하지 않았다. 나라는 멸망할 것이다. 언어와 사회는 변화할 것이다. 하지만 시간인과 협조한다면, 이들을 막지 못한다고 하더라도 보다 덜 고통스러운 길을 갈 수 있을지도 모른다. 그 끝에 우리를 모두 잡아먹는 기계신이 있다고 해도.

이상한 기계 짐승들이 들끓는 작은 정류장이었던 우리 마을과는 달리 싱가포르엔 이미 시간인들의 정착촌이 들어서 있었다. 그들은 미래의 기계를 만드는 공장과 영화관을 세웠다. 이번에 저들이 타고 온 배도 미래 기술로 만든 전기선이었다. 속도는 최신식 서양 증기선과 비슷한 정도였지만 그들은 석탄을 혐오했다.

그들은 전기선으로 싣고 온 버스를 타고 마을을 찾아왔다. 내가 영화나 드라마에서 본 버스와는 모양이 달랐다. 고무 타이어가 달린 작은 바퀴 네 개 대신 옆으로 넓은 커다란 금속 바퀴 여섯 개가 밑에 달려 있었다. 성초의 설명에 따르면 조선의 비포장 도로에는 저런 바퀴가 더 잘 어울린다고 했다.

나는 성초, 지호, 베르다넬리 남매와 함께 마을 사람들 뒤에서 그들의 도착을 구경했다. 마을 사람들은 시간인의 옷을 입고 시간인들과 어울리며 시간인의 언어를 쓰기 시작한 나를 못 본 척했다. 모두들 나에게 어떤 일이 일어났는지 알았지만, 그에 대해 고민하는 건 귀찮은 일이었다. 무슨 상관이야? 지금 저 애는 살아 있잖아. 그것도 시간인들과 어울리며 호강하면서.

버스 문이 열렸다. 한양에서 온 관리 네 명과 현감이 먼저 내렸고 시간인들이 뒤를 이었다. 여자 네

불가사리를 위하여

명에 남자 셋이었다. 처음엔 구별이 좀 어려웠다. 모두 수염이 없었고 머리가 짧았으며 비슷한 옷을 입고 있었기 때문에. 그래도 모두 동양인처럼 보였다. 우리보다 키가 좀 컸을 뿐.

마지막 시간인이 내리자, 갑자기 지호가 소리를 지르며 뛰쳐나갔다. 잠시 어리둥절하던 성초도 사정을 알아차렸는지 같이 달려 나갔다. 나와 베르다 넬리 남매는 영문을 모른 채 우두커니 서 있다가 그들의 뒤를 따랐다.

두 사람은 마지막으로 버스에서 내린 키 큰 시간인 여자 앞에 모여 있었다. 지호는 여자의 몸을 더듬으며 뭐라고 소리치고 있었고 성초는 여자의 손을 잡고 울먹이고 있었다. 그제서야 나는 일이 어떻게 돌아가고 있는지 눈치챘다. 키 큰 여자는 지호와 굉장히 닮아 있었다. 언니나 동생이었다. 언니인 거 같았다. 주름살 하나 없는 깨끗하고 맑은 피부 덕에 더 어려 보였지만 연장자의 느낌이 났다. 실제로 나이가 많거나, 그렇지 않더라도 두 사람에게 연장자인 사람이다. 시간인과 오래 살다 보니 이런 논리가 나에게도 자연스러웠다.

성초가 우리에게 키 큰 사람을 소개했다. 이름은 지휴라고 했고 예상했던 대로 지호의 세 살 위 언니였다. 지호처럼 과학자였고 같은 팀에서 불가사리를 연구했으며 동생이 죽었을 때 현장에 있었다. 그들의 시간대에서 불가사리 습격은 대재난이었고 수많은 사람이 과거를 바꾸려 시도했다. 하지만 그들은 과거를 바꾼 게 아니라 또 다른 시간선을 창조했을 뿐이었다. 정신이 온전치 못하지만 아직 살아 있는 지호도 누군가가 만든 시간선의 결과물이었다. 지휴는 지호가 살아남는 시간선에는 가 본 적이 없었다고, 죽은 동생을 만난 건 그 이후로 처음이라고 말했다.

우리는 시간인의 마을로 향했다. 마을이라고 했지만, 마을 바깥에 군데군데 있는 다섯 채의 집과 발전소가 전부였다. 1년 이상 머무는 사람들은 지호와 성초뿐이었고, 지금 다른 집은 비어 있었다. 베르다 넬리 남매의 텐트는 그들이 네크로폴리스라고 부르는 불가사리의 영토와 조금 더 가까운 곳에 세워져 있었다. 남매는 자기 이야기를 이해할 수 있는 새로운 사람을 만나 신이 났는지 신나게 떠들어 댔다.

소외된 느낌이 든 나는 조금 떨어져서 저들 뒤를 따라 걸었다. 마을 사람들에게는 죽은 사람 취급을 받고, 아직 미래 조선말과 영어에도 서툴러 번역기 없이는 이야기를 따라잡을 수 없는 나는 저들 사이에서 아무것도 아닌 존재였다. 나는 나의 미래에 대해 생각했다. 열심히 공부해서 시간인 세계의 지식을 습득하고 시간 여행 장치를 이식받아 시간인이 되는 것이 나의 유일한 목표였다. 하지만 목표는 하나의 미래가 있을 때 의미가 있다. 끊임없이 그들이 만든 수많은 과거로 돌아가는 시간인의 세계에서 미래는 무슨 의미가 있을까?

손님들이 집에 도착하자 나는 최대한 투명인간

불가사리를 위하여

처럼 굴었다. 그들에게 과자와 차를 대접했고 굳이 하지 않아도 되는 잡일을 하려고 부엌으로 후퇴했다. 한양에서 온 관리가 나에게 몇 가지 질문을 던졌지만 될 수 있는 한 말을 아꼈다. 그들이 불가사리를 보러 떠났을 때 나는 집에 남았다. 미래의 조선말로 된 영어책을 읽으며 문법을 암기했고 조선말 자막이 달린 영화를 보았다. 영화 속 사람들의 영어와 자막의 미래 조선말, 통역기를 통해 들어오는 조선말이 섞여 내가 무얼 보는지도 알 수 없었다. 전쟁 중에 기억상실증에 걸린 남자 이야기였는데, 난 당시 기억상실이 무엇인지도 잘 몰랐다. 그리고 자기가 누군지 모르는 사람치곤 그 남자는 너무 멀쩡해 보였다.

손님들은 자정이 넘어서야 돌아갔다. 처음엔 반가움에 젖어 있던 성초와 지호의 얼굴은 이상하게 차분했고 우울해 보였다. 나는 두 사람이 대화를 나누게 내버려 두고 침실로 들어가 잠을 청했다.

다음 날 아침, 우리는 투명 외투를 입고 산책에 나섰다. 지호는 언제나처럼 중간에 외투를 벗어 던지고 불가사리들 속으로 사라졌고 성초와 나만이 남았다. 우린 튀어나온 바위 위에 앉아 지호가 추는 어색한 춤을 구경했다.

"저들은 불가사리를 퇴치하고 싶어 해요."

성초가 입을 열었다.

"왜요?"

내가 물었다. 말하고 나니 이상하게 들렸다. 저들이 불가사리를 좋아해야 할 이유가 어디에 있는가? 어디서 굴러왔는지도 알 수 없는 위험하고 못생긴 짐승들이 아니던가? 나 역시 그들을 좋아하지 않았다. 지호와 성초가 품은 이상한 애정을 습관처럼 따랐을 뿐이다.

"인류에게 위협이 된다고 생각해요."

성초가 대답했다.

"이해는 가요. 불가사리와의 전쟁은 끔찍했어요. 저도 그 때문에 종종 악몽을 꿔요. 저 사람들이 불가사리를 싫어한다고 뭐랄 수는 없어요. 위험하다고 생각하는 것도, 잠재적인 습격에 대비해야 한다고 생각하는 것도 이해가 가요. 특히 지휴는 그 때문에 가족 모두를 잃었으니까요. 지호를 포함해서.

하지만 저들은 이제 다른 이유로 불가사리들을 두려워하고 있어요. 인간과 기계신의 경계에서 태어난 괴물들이기 때문에 인간의 순수성을 해치고 기계신과 인간들을 연결하는 통로가 될지도 모른대요. 불가사리 중 일부는 진짜로 진화 과정 중 인간을 닮아 가고 있대요. 지휴는 지네 몸을 거의 벗어 던져서 얼추 인간처럼 보이는 불가사리도 보았대요. 단지 우리보다 키가 훨씬 크고 피부가 금속성이고 꼬리가 달려 있었대요. 이 모습은 악마를 닮았지요. 몇몇 사람들은 자기 종교의 세계관에 불가사리와 기계신을 대입하고 있어요.

불가사리를 위하여

이건 옳지 않아요. 전쟁은 아직 준비되지 않은 두 종족 사이에서 벌어진 사고였어요. 이 마을에서 일어났던 일은 끔찍했지만 정당방위였고요. 이후론 그런 일이 없었잖아요. 불가사리들은 빨리 진화하고 있고 지호를 통해 대화의 가능성도 열렸어요. 우린 이 가능성을 최대한 넓혀야 해요. 그리고 만약 불가사리들이 우리와 가까워지고 우리와 섞일 가능성이 있다면 그것이 과연 거부해야 할 일일까요? 도대체 순수한 인간이 뭔가요? 왜 우리가 그런 게 되어야 하는데요? 더 이상 인간은 지구의 지배 종족도 아니잖아요.

지휴를 설득하려 했지만 실패했어요. 지호는 실망이 커요. 언니가 설득되지 않아서이기도 하지만 무엇보다 자기를 진짜 동생으로 인정해 주지 않으니까요. 지휴에게 있어 지호는 죽은 사람이에요. 불가사리에 감염된 지호는 동생 비슷하지만 동생이 아닌 무언가지요. 사람이 착해서 직접 입으로 말하지는 않았지만 저와 지호 모두 그 혐오감을 느꼈어요.

2주 뒤에 군대가 마을에 와요. 조선 정부에서는 외교적 지원을 조건으로 시간인 군대가 들어오는 걸 승인했어요. 지호와 저는 어떻게든 불가사리들을 설득해 다른 시간대로 달아날 생각이에요. 불가사리들과 대화가 얼마나 가능한지도 모르겠고 다른 시간대로 간다고 해서 군대가 쫓아오지 않을 리도 없지만.

우린 괜찮아요. 하지만 말순 씨가 문제예요. 이

마을에 저희 없이 머무는 건 어렵겠지요. 시간인들은 내일 떠나는데, 제가 지휴에게 말해서 말순 씨를 데려가 달라고 부탁할 수 있어요. 들어줄 거예요. 착한 사람이니까요…. 그리고…"

나는 고개를 저었다.

"왜 제가 그 사람들을 따라갈 거라고 생각하세요? 우리는 친구가 아니었나요?"

4.

일주일 전 나는 장엄한 드라마와 액션으로 가득한 챕터를 하나 썼다 지웠다. 기원전 2432년의 한양을 배경으로 한 그 이야기에서 나와 지호, 성초는 불가사리를 공격하는 시간인 군대에 쫓기고 있었다. 성초가 불가사리들과 새로운 시간 터널을 만들기 위해 애쓰는 동안 지호와 나는 군대를 따돌리기 위해 한강 변을 달렸다. 정확히 말하면 우리는 불가사리를 타고 달렸다. 불가사리 중 일부는 스스로 자신의 몸을 말과 비슷한 모습으로 변화시켜 우리를 태웠다.

음모, 전략, 액션, 반전, 아슬아슬한 탈출이 이어졌다. 나는 이 이야기가 썩 재미있었다고 생각한다. 난 인간성의 순수함을 추구하는 것이 얼마나 무의미한 것인가에 대한 연설을 써서 뒤에 붙였는데, 그걸 지운 건 좀 아쉽다. 내가 정말 그런 연설을 했던 건 아니다. 하지만 탈출 이후 며칠 뒤에 생각이 났고, 그 연설을 마지막 액션 뒤에 붙이면 진짜로 멋

있을 것 같았다. 어차피 이야기꾼은 나고, 아무도 그 자잘한 디테일에는 신경을 안 쓸 테니까.

사실과 거리가 멀어서 그 챕터를 지운 건 아니다. 약간의 과장이 있었지만, 앞의 세 챕터보다 특별히 더 지어낸 이야기가 많지는 않았다. 나는 앞부분도 최대한 내가 기억하는 사실에 맞추어 썼다. 단지 쓰고 나니 내가 훨씬 시간인처럼 말하고 생각한 것처럼 보이긴 한다. 그건 어쩔 수 없는 일이다. 당시 나의 사고방식과 언어를 그대로 재현했다면 글이 세 배 정도는 길어졌을 테니까. 이 이야기에서 중요한 건 나의 서투름과 둔함이 아니다.

여전히 나는 한강 전투에서 내가 얼마나 멋졌는지 자랑하고 싶다. 창 한 자루(끝에 전자기 펄스 무기가 달려 있긴 했다.)를 쥐고 수십 대의 전투 드론에게 달려들던 지호의 어처구니없이 장엄한 만용에 대해서도 기록하고 싶다. 무엇보다 나는 그동안 우리가 지호를 통해 불가사리와 얼마나 의미 있는 소통을 할 수 있게 되었는지도 여러분에게 들려주고 싶다.

하지만 쓰고 나니 이 모든 사실들을 기록하는 것이 조금씩 기만일 수밖에 없다는 생각이 들었다. 불가사리의 탈출기는 시간 여행의 허브였다. 과거의 미래의 수많은 시간인들과 불가사리들이 개입했고 수많은 시간선이 만들어졌다. 그 와중에 수많은 나와 성초와 지호와 불가사리들이 만들어졌다. 누군가는 죽었고 누군가는 살아서 다른 시간대의 죽은 사람 자리를 물려받았다. 지금 나와 함께 있는 성초와 지호는 모두 내가 처음 만났던 사람들과 조금씩 다른 사람들이다. 성초는 내 품에서 죽었고 지호는 실종되었다. 나도 수없이 죽었을 거라 생각한다. 지금 이 글을 쓰는 내가 그 뒤로 15년이나 더 살 수 있었던 것은 내가 특별히 멋있고 능력 있었기 때문이 아니라 순전히 운이 좋았기 때문이다. 수많은 이야기가 있고 내가 겪은 일들은 그중 극히 일부에 불과하다. 3차원의 역사에 끼인 가느다란 실과 같달까.

나는 이 수많은 이야기 속에서 시간 여행의 아이러니를 발견한다. 지휴가 보았다던 인간과 비슷한 모습의 불가사리를 기억하는가? 불가사리들은 우리와 함께 시간인에게 쫓기는 동안 그런 모습으로 변화했다. 인간의 도구를 쓰고 인간과 닮아 보이는 것이 도주에 유리했기 때문에. 그리고 처음 공격에서 살아남은 불가사리들은 지호를 통해 우리와 의사소통이 가능해 우리의 도움을 받을 수 있었던 무리였다. 그러니까 불가사리가 점점 인간과 가까워질 거라고 생각해 그들을 공격한 시간인들이 인간의 신체와 정신을 닮은 불가사리들을 만든 것이다. 다만 지휴가 본 게 우리의 불가사리들이었는지는 잘 모르겠다. 그럴 수도 있고 그렇지 않을 수도 있겠지. 불가사리들이 인간과 비슷한 모습으로 진화할 수 있었던 기회는 그 이외에도 많았을 테니까. 아마 그들도 우리 불가사리와 비슷한 과정을 거쳤으리라.

지호와 성초는 그렇다고 쳐도 나는 왜 이 기계 짐승들에게 일생을 바치기로 결정했던 걸까? 그건 내

불가사리를 위하여

대책 없는 로맨티시즘 때문이었으리라. 이런 말을 내가 직접 하는 건 쑥스럽지만 나는 언제나 불가능에 도전하는 거대한 삶을 꿈꾸었다. 시간인의 우주가 아무리 우리의 개별 삶의 중요성을 위축시킨다고 해도 나는 그에 맞서고 싶었다. 죽은 화가도 언젠가 자신이 내게 끌렸던 이유가 마을의 다른 여자들과 다른 그 특성 때문이라고 말한 적 있다. 아니, 솔직히 말해 그 인간은 "너는 서양 여자 같아."라고 말했었다. 하지만 그게 그거지.

마지막으로 내가 고른 이름에 대해 이야기하기로 하자. 몇 가지 이유로 나는 나를 포함한 모든 사람들에게 가명을 지어 주어야 했다. 지호와 성초라는 이름은 《돈 키호테》에서 골랐다. 돈 키호테와 산초 판자. 여러분이 사는 시간선에도 미겔 세르반테스의 이 명작이 있는지 모르겠다. 세르반테스가 태어나지 않았다고 해도 시간인들의 도서관 대부분엔 포함되어 있으니 읽은 이들도 많을 것이고 내가 왜 이런 이름을 붙였는지 눈치챘을 거라 생각한다. 어쩌다 보니 돈 키호테보다 산초 판자의 비중이 더 큰 이야기가 되어 버렸지만 여러분은 산초 판자의 입장도 들어 보고 싶지 않나?

그렇다면 내 이름 말순은? 나는 당시 딸부잣집 막내딸들이 달고 다니던 천박하고 모욕적인 이름을 갖고 있었고 그 이름은 말순과 크게 다르지 않았다. 나는 그 이름을 별생각 없이 골랐다. 하지만 이 글을 읽던 성초는 이 이름을 역시 《돈 키호테》에 나오는 마르셀리나에서 따온 것이 아니냐고 진지하

게 물었고 나는 잠시 기분이 좋아졌다. 비록 이 이
야기에 나오는 나는 세르반테스가 창작한 전설적
인 양치기 여인처럼 당당하지도 위엄 넘치지도 않
지만, 15년을 함께 보내 나를 알 만큼 아는 친구가
나를 그렇게 보았다면 감동하지 않을 수 없다.

불가사리를 위하여

어른벌레

이산화

어디서부터 이야기를 시작하는 게 좋을지 모르 겠군요.

음, 그래요. 처음부터 말씀드리면 되겠네요. 자 신이 있는 곳을 알 수 없을 땐 시작 위치로 돌아가 는 것이 최선인 법이니 말입니다. 다소 긴 이야기 가 될 것 같은데, 수사관님께서는 혹시 시간 괜찮 으십니까? 저야 물론 아무런 문제가 없습니다만. 몸은 보시다시피 상처 하나 없이 멀쩡한데, 경과를 좀 더 면밀히 지켜봐야 한답시고 이 삭막한 병실에 가둬 놓은 데다가 면회객까지 틀어막고 있으니 남 아도는 게 시간이지요. 지루해서 온통 좀이 쑤시던 참이었는데 사건 조사 차원에서라도 이렇게 와서 말을 걸어 주셨으니 저야 그저 감사할 따름입니다. 방호복 차림으로 오래 앉아 계시는 일이 적잖이 괴 로우시겠지만, 슬슬 이야기를 시작할 테니 아무쪼 록 마지막까지 잘 들어 주셨으면 합니다.

어른벌레

어디 보자, 텔 미크네의 유적지 외곽 지하에서 대규모의 공동이 발견된 것이 대략 3년 정도 전의 일이로군요. 전례 없던 폭우로 토사가 유실되면서 드러난 구멍을 성지순례 중이던 여행객이 우연히 목격하고 당국에 신고했는데, 조사 결과 입구 부근에서 초기 철기시대 양식의 토기 파편이 발견된 겁니다. 이런 상황이었으니 당연히 즉시 발굴이 시작되었을 거라고 생각하시겠지만 실상은 훨씬 다사다난했지요. 지하 유적 발굴 작업에는 돈과 시간이 많이 들고, 인력도 필요하고, 이번 일에는 특히나 이런저런 걸림돌이 더 많았으니까요. 그래도 세계 각지의 여러 학자들이 강력하게 밀어붙인 끝에 연초에는 어떻게든 소규모 발굴 팀이나마 꾸릴 수가 있었습니다. 제가 현장 책임자를 맡았고, 오르솔랴가 유물 판독을 담당하게 되었지요. 그리고… 지난달에 테닐 스트롱혼 박사가 외부 자문 위원 자격으로 우리 발굴 팀에 합류했습니다. 네, 그때가 저와 스트롱혼 박사의 첫 만남이었습니다.

전혀 예상치 못한 만남이었어요. 텔 미크네 지하 유적의 존재가 공표된 바로 그 순간부터 스트롱혼 박사가 발굴 작업에 참여하게 해 달라는 요청을 계속 보내왔다고 듣기는 했습니다. 예루살렘 히브리 대학 고고학 연구소에 있는 지인은 자필로 쓴 편지까지 몇 번이나 받았다고 하더군요. 하지만 정말로 요청이 받아들여질 거라곤 생각하지 못했습니다. 어차피 예산 배정도 별로 되지 않았고 그다지 주목도 못 받는 프로젝트이니, 빨리 요구를 들어줘서 더 이상의 귀찮은 일을 만들지 말자는 생각이었을까요? 어쩌면 '전문 인력이 더 필요하다'는 제 호소에 어떻게든 응답하려고 했을 뿐일지도 모르겠군요. 실제로 인력 충원이 절실한 상황이기는 했습니다. 도자기 조각은 하루가 멀다 하고 쏟아져 나오는데, 그걸 하나하나 정리하고 기록할 전문가는 턱없이 부족했으니 말입니다. 윗선에서야 제대로 된 레반트 지역 고고학 전문가를 안 찾아본 건 아니었겠습니다만, 요즘 같은 정세에 여기까지 와 줄 사람이 과연 몇이나 되겠습니까?

현재의 텔 미크네는 물론 이스라엘의 영토이지요. 하지만 초기 철기시대에 그곳에는 필리스티아인들의 다섯 도시 중 하나인 에크론이 있었습니다. 그리고 이스라엘 내의 필리스티아인 유적을 발굴한다는 일은 곧 이곳이 원래 누구의 땅이었느냐 하는 해묵은 정치적 논의에 어떤 식으로든 발을 담그는 일이 될 수밖에 없습니다. 아시겠지요? 비록 성서 시대의 필리스티아인들이 현대의 팔레스타인 사람들과 유전적으로 그다지 큰 관련이 없다 하더라도 민족의식은 또 다른 문제입니다. 옛 이스라엘 성립 이전의 역사를 굳이 들춰낼 필요가 없다고 믿는 사람들의 목소리가 점점 커지고 있는가 하면, 반대로 자신들의 조상이 쌓아 올린 역사를 이스라엘 정부가 제멋대로 파헤쳐 탈취할 것이라고 보는 사람들도 있어요. 요즘 국제 뉴스를 10분이라도 앉아서 보고 나면 그 사이에 끼어들고 싶단 생각이 싹 사라질 겁니다. 발굴 프로젝트가 예산 배정을 못 받은 것도, 이만한 규모의 지하 유적이 발견되었는데 세계가 주목해 주지 않는 것도 전부 마찬가지 이유입니다. 그러니 제대로 된 전문가를 구하는 게 어디 쉬운 일이었겠습니까? 결국엔 윗선에서도 유일하게 이 프로젝트에 관심을 가져 주는 사람을 불러들일 수밖에 없었겠지요. 설령 그 사람이 얼토당토않은 가설을 늘어놓으면서 히스토리 채널이나 기웃거리는 괴짜라도 말입니다. 네, 테닐 스트롱혼 박사가 우리 발굴 팀에 들어오게 된 데에는 대략 이런 사정이 있었습니다.

당연히 처음에 우리 발굴 팀은 박사의 도착을 별로 반기지 않았습니다. 수군거리고, 미심쩍게 쳐다보고, 오르솔랴 정도를 빼면 식사 때 말조차 제대로 걸지 않았지요. 대놓고 적대했던 인원도 없었다고는 하지 못하겠군요. 최근에 스트롱혼 박사가 내놓은 소위 '나비 예수'에 대한 종교학적 가설이 어떤 사람들에게는 상당히 모욕적으로 들렸을 테니까요. 원래는 이런 상황을 중재하는 것도 책임자인 제 역할이지만 당시에는 제때제때 발굴 현황 보고하느라 제 한 몸 돌보기에도 벅찰 만큼 바빴으니…. 심각한 충돌이 벌어지지 않았다는 점에서는 역시 오르솔랴에게 공을 돌리고 싶습니다. 오르솔랴가 스트롱혼 박사에게 재빨리 출토품 목록화 일을 인계해 주지 않았더라면 그렇잖아도 고생하던 팀원들의 불만이 훨씬 커졌을 테지요.

뭐, 일주일쯤 지나고 나니 그런 불만도 거의 잦아들었지만 말입니다. 과연 목록화 작업이나 제대로 할 줄은 알까 의심했었는데, 막상 출토품 더미에 파묻혀서 같이 일해 보았더니 그 괴짜가 의외로 확실하게 훈련된 전문가였거든요. 생각해 보면 당연한 일입니다. 방송이며 책으로 워낙에 이상한 주장을 많이 퍼뜨리고 다녀서 학계의 미움을 사긴 했지만, 그래도 최소한 박사는 박사 아닙니까? 학위도 없이 헛소리만 늘어놓는 얼치기들하곤 질적으로 다르지요. 현장 일을 할 줄 알았고, 특히나 마구잡이로 튀어나오는 갖가지 철기시대 도자기 파편들을 부위별로 정확하게 분류하는 데에선 우리 발굴 팀에서도 따라올 사람이 없었습니다. 같은 고고학자라고 해도 전공으로 하는 시대나 지역이 다르다면 유물을 그렇게까지 능숙히 판별할 수가 없는데 말입니다. 혹시 이 지역 고고학 연구에 참여해 본 경험이 있느냐고 제가 조심스레 물었더니, 얼굴조차 돌리지 않고 무덤덤한 목소리로 이렇게 대답했던 것이 기억납니다.

"이쪽은 아니고, 크레타에서 한동안 연구한 적이 있어요. 다 지난 일이죠."
"아하, 그러셨군요! 과연 필리스티아 유물에도 조예가 있으실 만합니다."

그때서야 비로소 어쩐지, 하고 납득이 되었지요. 옛 필리스티아인이 현대의 팔레스타인 사람과 유전적으로 별 관련이 없다는 이야기를 아까 드렸던 걸 기억하십니까? 필리스티아인이 아랍인과 구분되는 집단이었다면 구체적으론 어떤 사람들이었는가 하니, 바로 에게해 근방에서 유래해 청동기 문명의 몰락에 기여했다고 알려진 악명 높은 '바다 민족'의 일원이라는 것이 지배적인 해석입니다. 그 중에서도 바로 크레타섬에서 기원해 레반트 지역까지 이주해 온 분파로 알려져 있고요. 지하 유적 입구 부근에서 주로 출토된 토기 또한 해당 지역에서 흔히 찾아볼 수 있는 미케네 문명 양식이 절반, 미케네 양식에서 변형된 필리스티아 이색 도기 양식이 절반이었습니다. 그러니 크레타에서 비슷한 유물을 다뤄 본 경험이 있는 사람이라면 이곳 이스라엘에서도 도자기 조각 맞추기쯤은 어렵잖게 할 수가 있을 겁니다. 청동기시대 그리스 고고학에 대해서는 저도 적잖이 관심이 있었고, 그래서 그때도 텔 미크네 지하 유적 출토품에서 드러난 미케네 문명의 영향에 대해 더 자세히 이야기를 나눠 보려고 했지만, 스트롱혼 박사의 반응은 냉랭하더군요.

"그 시절 얘긴 굳이 더 하고 싶지 않네요. 일이 바쁘니 그만 비켜 주시죠."

여전히 무뚝뚝한 목소리였습니다. 돌이켜 보면 텔 미크네에 머무는 내내 그랬던 것 같아요. 표정 변화도 없고, 생기라곤 찾아볼 수 없고… 크레타섬에서 연구했던 내용에 대해서도 거의 입에 올리질 않았지요. 처음에는 도대체 왜 그러는지 알 수가 없었습니다. 본인의 전문 분야이고 또 이번 발굴과도 밀접한 연관이 있는 내용이니, 저 같았으면 다 모아 놓고 강의라도 한번 했을 텐데 말입니다. 뭐, 얼마 지나지 않아서 오르솔랴에게 자세한 사정을 전해 듣긴 했습니다만.

맞습니다. 제가 들은 것이 바로 그 이야기입니다.

멜리수스 동굴 참사. 크레타섬의 '성스러운 동굴' 중 하나인 멜리수스 동굴에서 갑작스러운 암반 붕괴가 일어나는 바람에, 그 안에서 발굴 작업을 하던 고고학 연구자 중 셋이 미처 탈출하지 못하고 목숨을 잃은 사건이었죠. 10년도 더 된 일이라, 저는 나중에 숙소에서 따로 검색해 보고 나서야 '아, 이런 일이 있었지.' 하고 겨우 기억을 해 냈습니다. 그래도 당시 지중해 쪽 고고학 연구자들 사이에서는 상당히 충격적인 사건이었던 모양이더군요. 사고로 목숨을 잃은 세 사람 중에 미노아 문명 연구의 최고 권위자가 있었다고 하니 더더욱 그랬겠지요. 대니얼 하프트 교수였던가요? 지중해 고고학 최대의 수수께끼 중 하나였던 선형 문자 A의 해독에 가장 크게 기여한 인물이고, 그 업적을 기려서 현재는 이름을 딴 연구 재단까지 세워져 있다는 모양입니다. 그리고, 네, 테닐 스트롱혼 박사도 그때 그 현장에 있었다는 말이지요. 뉴스 기사에 따르면 동굴을 가득 메운 돌 더미 속에서 꼬박 사흘 만에, 생존자 중에서는 가장 마지막으로 구출된 사람이 었고요.

어둠 속에 동료들을 남겨 둔 채로, 그렇게 간신

히 살아서….

　아뇨, 아뇨, 아무것도 아닙니다. 죄송합니다. 잠깐 딴생각을 했을 뿐입니다. 어디까지 얘기했죠? 그래, 멜리수스 동굴 참사 얘기였죠. 그런 과거사를 알고 나니까 많은 게 이해가 가더군요. 무뚝뚝한 태도도, 크레타섬에서 했던 연구에 대해서 입에 담지 않는 것도, 그리고 제대로 된 고고학 연구 대신 끊임없이 이상한 가설만 주워섬기는 것까지도요. 학자로서의 삶을 바치려 했던 연구 주제 그 자체가 한순간에 언급하기조차 싫은 트라우마가 되었다면, 이후에도 연구 현장에 뿌리를 내리지 못하고서 겉돌게 되는 것 또한 무리는 아니지요. 안타깝다는 생각이 들지 않을 수가 없었습니다. 적어도 땡볕 아래의 텐트 그늘에서 같이 일하는 동안만큼은 스트롱혼 박사도 진짜 학자처럼 보였으니까요. 항상 목각 인형 같은 얼굴로 토기 조각을 내려다보고 있었지만, 그래도 그 안에선 분명하게 타오르는 어떤 고고학적 탐구심의 편린을 느낄 수가 있었으니까요.

　아마 바로 그 탐구심이 스트롱혼 박사를 텔 미크네로 불러들인 원동력이었을 것입니다. 비록 크레타로 돌아갈 수는 없더라도 크레타의 유산이 남은 곳에서는 어떻게든 연구를 해 보고 싶다, 그런 생각을 분명히 품고 있었으리라고 저는 믿습니다. 그게 아니라면 그 누구도 오려 들지 않는 연구 현장으로 왜 굳이, 자필 편지로 호소를 해 가면서까지 꾸역꾸역 몸을 들이밀었겠습니까? 그리고 어째서… 어째서 하필 그 깊숙하고 어두컴컴한 곳에 스스로 발을 들여야겠다는 마음을 품었겠습니까? 필시 두려움이 있었을 겁니다. 하지만 그 두려움으로도 결코 잠재울 수 없는 학자의 혼 또한 있었던 것이겠지요. 네, 그날 유적 안쪽으로 직접 들어가 보자는 제안을 가장 먼저 꺼낸 사람은 테닐 스트롱혼 박사였습니다. 오르솔랴에게 물어보십시오. 제 말이 진짜인지 아닌지 확인해 줄 겁니다.

음, 아무래도 당시의 자세한 정황을 말씀드리는 것이 먼저겠군요. 당초에 알려져 있던 지하 공동 내부 조사가 어느 정도 끝날 무렵이었습니다. 찾아낸 유물은 많았지만 대부분이 토기 파편이었고 조각상이나 구조물 같은 것은 거의 없었기 때문에, 이 공동이 에크론 시민들에 의해 일종의 서늘한 자연 창고로 쓰였으리라는 가설이 세워질 즈음이기도 했지요. 그런데 발굴 작업을 어느 정도 마무리하려던 차에 유적 서쪽 구역에서 비좁은 통로 하나가 발견된 겁니다. 통로라고 해도 비좁은 토굴 같은 것이었는데, 크기가 딱 사람 하나 지나갈 만한 정도였고 주변엔 분명히 인위적으로 깎아 낸 흔적이 있었습니다. 그러면 조사해 보고 싶어지는 것이 당연지사 아니겠습니까? 하지만 저는 현장 책임자였고, 현장 책임자의 일은 현재 장비와 인력으로 컴컴한 토굴 안을 조사하기란 아무래도 위험하다는 판단을 내리는 것이죠. 그래서 먼저 상부에

어른벌레

전문 탐사 장비 지원을 요청했습니다. 원격조작 카메라나 드론 같은 것들 말입니다. 많은 걸 기대하진 않았어요. 상황이 상황이니 장난감 자동차 수준의 고물이라도 하나 던져 주면 감지덕지하겠다고 생각했지요. 그런데 정작 다음 날 우리한테 날아온 건 그보다도 훨씬, 훨씬 한심한 물건이지 뭡니까. 발굴 중단 지시 말입니다.

뻔히 보이는 상황이었지요. 대충 마무리하고서 덮어 놓으려고 했던 프로젝트인데 생각보다 예산이 더 들어갈 것 같으니, 주변 지반 안정성에 끼칠 영향이니 뭐니 하는 별 근거도 없는 변명을 덧붙여 가면서 억지로라도 매듭을 지으려고 한 겁니다. 여기에 돈을 더 썼다간 정치적인 시비를 피할 수 없을 것 같아서요. 그럼요, 왜 화가 안 났겠습니까? 머리끝까지 열이 뻗쳐서 여기저길 쾅쾅대면서 돌아다녔던 꼴을 본 사람이 한둘이 아닐 겁니다. 그런데 화를 내도 소용이 없었어요. 전화를 걸고 메일을 보내고 난리를 쳐도 윗선 놈들은 요지부동이었으니까요. 더 조사할 구석이 남아 있었는데, 저 지하 유적 아래에 뭔가 더 있을지도 모르는데 그대로 꼼짝없이 짐 싸서 집으로 돌아가게 생겼던 겁니다. 잠깐만요, 죄송하지만 물 한 잔만 마시겠습니다. 정말이지 어이가 없어서, 고고학이 자기들 입맛대로 이리저리 움직일 수 있는 장기 말인 줄 아는 무식한 놈들 같으니라고….

음, 아무튼 그만큼이나 답답한 와중이었다는 이

야기입니다. 팀원들은 다들 의욕을 완전히 잃어버렸고, 저는 그래도 마지막까지 조금이라도 조사를 더 해 보겠다고 어떻게든 수를 쓸 작정이었지요. 상부에서 댄 평계가 지반 안정성이었으니, 혹시라도 그 때문에 유적이 추후에라도 파괴되지 않도록 입구 쪽에 보강 공사를 진행해야 한다는 평계를 대면 일주일 정도는 추가로 현장에 머물 수 있을 것 같았습니다. 그렇게 하면 최소한 그때까지 진행해 놓은 발굴을 마무리할 여유는 생기겠다는 계산이 었고요. 이미 조사한 구역에서 혹시 놓친 유물은 없는지, 공동 벽에 흐릿하게라도 남은 문자나 그림은 또 없는지, 뭐 그런 정도의 마무리 작업일지라도 말입니다. 일단은 이 내용을 정리해서 발굴 팀 전체에 전달했고, 숙소에 돌아가선 윗선과 한바탕 말싸움을 벌일 준비를 했고… 그러고 있던 차에 스트롱혼 박사가 제 방으로 찾아온 겁니다. 무슨 일인가 싶어서 멀뚱히 서 있었는데, 그쪽에서 먼저 입을 열더군요. 이미 마음을 굳혔다는 듯이.

"내일 오전 6시에 유적 안쪽 통로로 진입할 거예요. 장비를 빌리고 싶은데요."

이건 또 무슨 소린가 했죠. 당연하지 않습니까. 유물 목록화 작업에 도움을 많이 주긴 했지만, 그래도 스트롱혼 박사는 어디까지나 외부 자문 위원 자격으로 우리 발굴 팀에 합류한 사람이었습니다. 출토되어 나온 유물을 분석할 인력이 필요해서 부른 것이지, 유적 안쪽으로 직접 들어갈 일을 상정

어른벌레

한 적은 없었단 말입니다. 발굴 중단이 다 결정된 시점에 와서 굳이 새로운 구역을 파 보겠다는 것 또한 터무니없는 소리였거니와, 그 구역이 하필이면 누구 들여보내기도 조심스러울 만큼 좁디좁은 토굴이라면 현장 책임자로서 내려야 했던 판단은 하나뿐이었지요. 절대 안 된다고 단언하고서 당장 돌려보내는 것 말입니다. 네, 그래야 했습니다. 그래야 했어요. 문간에 멍하니 서서 그 감정 없는 얼굴을 빤히 쳐다보다가, "계획을 더 자세히 얘기해 보시죠."라고 더듬더듬 물어서는 안 됐던 겁니다.

하지만 어쩌겠습니까? 사람 마음이란 게 그토록 나약한 것을.

저도 속으로는 스트롱혼 박사와 같은 심정이었단 소립니다.

해 볼 만한 일이라는 느낌이 들었습니다. 통로 입구가 그렇게 비좁은 걸 보면 안쪽에도 대단한 공간은 없을 거란 생각이 스쳤고, 그렇다면 소수의 인원만 잠깐 들어가서 살펴보는 것 정도는 가능할 것도 같았지요. 물론 윗선에서 중단 지시가 내려온 마당이었으니, 아무리 잠깐이라 한들 팀원들에게 추가 발굴 지시를 내릴 수야 없기는 했습니다. 하지만 현장 책임자와 외부 자문 위원의 독단적 행동이라면 얘기가 다르지 않습니까? 책임을 져도 제가 지는 것이니까요. 설령 이 일이 윗선에 알려져도 최소한 발굴 팀의 다른 동료들에게는 불똥 튈 일이 없으리라는 계산이었습니다. 그러니 필요한 장비를 미리 준비해서 아침 일찍 진입하되, 팀원들에게는 나중에야 소식이 전달되도록 손을 써 두자는 것이 그날 박사와 함께 세운 계획의 전모입니다.

그리고 실제로 일을 추진하는 것은 물론 저의 몫이었고요. 발굴 팀 비품을 박사에게 잠시 빌려주기로 한 것도, 팀원들에게 갈 예약 메시지를 작성한 것도 전부 마찬가지였습니다. 아, 그것 또한 물론입니다. 오르솔라를 탐사에 동행시키기로 한 결정도 당연히 제가 내린 것이지요. 당시에도 미안하게 생각했고, 지금은 이런 일에 말려들게 해 버렸으니 더더욱 얼굴을 볼 면목이 없습니다. 하지만 어쩔 수가 없었어요. 온갖 위험을 감수하고서 기껏 유적 안쪽으로 진입하는 건데, 혹시라도 귀중한 유물의 존재를 놓치고서 그냥 돌아온다면 너무 아까운 일이라고 생각하시지 않습니까? 유물 판독 전문가를 적어도 한 사람은 더 데려갈 필요가 있었고, 오르솔라는 필시 책임자인 제 권유를 거절할 수가 없었겠지요. 네, 일이 이렇게 된 겁니다. 여기까지가 저와 오르솔라, 그리고 테닐 스트롱혼 박사가 그날 텔 미크네 지하 유적 아래로 향하게 된 경위입니다.

오전 6시 15분이었습니다. 시각을 확인했던 것이 기억납니다. 챙겨 온 장비를 마지막으로 확인한 다음, 제가 가장 앞장서서 지하 공동으로 내려가는 사다리를 향해 발을 디뎠습니다. 오르솔라가 뒤를 이었고, 스트롱혼 박사가 마지막으로 내려왔지요. 공동 안은 서늘했고 손전등 불빛이 닿는 곳에는 그저

어른벌레

모랫바닥밖에 보이질 않았습니다. 눈에 띄는 유물은 전부 바깥으로 빼낸 뒤였으니 당연하지요. 그래도 혹시나 남아 있던 유물을 밟지는 않을까 발아래를 비추면서, 우리는 유적 가장 서쪽의 벽을 향해 살금살금 걸음을 옮겼습니다. 길을 아는 저조차도 막상 어둠 속을 더듬으면서 찾아가려고 하니 제대로 가고 있는 것인지 헷갈리더군요. 목적지 코앞까지 걸어가고 나서야 겨우 그 토굴 입구가, 바위 틈새를 조금 더 넓고 깊게 깎아 놓은 것 같은 좁다란 구멍이 눈에 띄었습니다. 허리를 반쯤 구부리고 몸을 밀어 넣으면 아슬아슬하게 통과할 수 있을 만한…. 그리고 미처 말릴 새도 없이 그 안으로 걸어 들어가는 스트롱혼 박사의 모습도 함께 보였습니다.

물론 보고만 있지는 않았지요! 오르솔랴가 먼저 박사를 쫓아갔고, 저는 잠시 정비하려고 내려놓았던 짐을 다시 둘러메고서 곧바로 그 뒤를 따라갔습니다. 동굴 초입에 약간 내리막 경사가 있어서 하필이면 미끄러질 뻔했던 것이 기억납니다. 벽에 몸을 착 붙이고 걸을 수 있었더라면 좋았겠지만, 그러다가 벽화나 부조 같은 걸 훼손했다가는 무리해서 진입한 의미가 없어지잖습니까. 음, 결과적으로 그런 걸 발견하기는 했습니다만. 벽에 튀어나와 있는 바위 곳곳에 닳은 흔적이 있었고, 그래서 이 통로를 따라 사람들이 자주 지나다녔으리란 추측이나 해 볼 수 있었을 따름입니다. 내리막 통로는 예상보다 더욱 오래도록 이어졌고, 스트롱혼 박사는 멈추는 일 없이 그 안쪽으로 계속 나아갔습니다.

깊이, 더 깊이.

　얼마나 깊이 들어갔는지까진 정확하게 말씀드릴 수가 없습니다만, 적어도 한 가지만큼은 확실합니다. 우리가 그 동굴의 끝을 보았다는 사실 말입니다. 통로의 폭이 서서히 넓어지면서 경사도 완만해지는가 싶더니, 갑작스레 뻥 뚫린 공간이 우리 앞에 모습을 드러냈습니다. 넓이가 대략… 이 병실의 네 배쯤 되었을까요? 다섯 배? 훨씬 넓었던 것도 같군요. 어둠 속에서 전등불 세 줄기 가지고 공간의 넓이를 가늠한다는 게 쉬운 일은 아닙니다. 특히나 그 공간의 생김새가 불규칙적이고, 곳곳에 작은 방과 구덩이가 마구잡이로 뚫려 있다면 더더욱 그렇지요. 엄지손가락 넣는 곳만 사방에 열댓 개쯤 달린 장갑 속에 들어갔다고 상상해 보시길 바랍니다. 통로 끝에서 나타난 공간은 대략 그런 모습이었습니다. 자연적으로 형성될 만한 지형은 결코 아니었어요. 누군가 일부러 저 깊은 땅속까지 좁디좁은 굴을 파서, 그 끝에 기묘하게 생긴 방을 하나 만들어 둔 겁니다. 초기 철기시대인의 기술로는 더없이 위험천만한 일이었으리란 건 말할 필요도 없지요. 그렇다면 당시 사람들이 그런 위험을 감수하면서까지 굴을 파 놓은 이유가 무엇인지, 그걸 알아내고 싶었습니다. 다시 말해서 '여기 들어오길 잘했다.'라고 생각했던 것이지요. 그때까지는 말입니다.

　스트롱혼 박사 말씀이십니까? 저보다 먼저 나아가고 있었으니까, 당연히 그 방에도 저보다 먼저 들어갔지요. 사실 그 공간에 막 발을 들인 직후에는 저도 박사에게 신경 쓸 겨를이 전혀 없었습니다. 잔뜩 흥분해 있었으니까요. 방 안을 열심히 둘러보고 사진을 찍어 대면서 걷다가 그만 바닥에 파인 구덩이에 빠질 뻔했는데, 간신히 균형을 잡고서 발 디딜 만한 바닥을 찾아 몸을 추스르고 나니 그때서야 몇 발짝 앞에 박사가 있는 게 보이더군요. 우두커니 서서, 멀리서도 눈에 띌 만큼 몸을 떨면서요. 네, 두려워하고 있었던 겁니다. 충분히 이해할 수 있는 일이지요. 스트롱혼 박사가 그 사고를 겪었던 곳도 동굴 속이었으니까요. 탐구 정신에 힘입어 깊숙한 곳까지 성공적으로 들어오기는 했지만, 그렇다고 해서 트라우마를 완전히 억누를 수는 없었던 것 아닐까요. 새삼 걱정이 되어서 뭐라고 말을 걸어 보려고 했는데, 오르솔랴가 눈치 없이 먼저 끼어들었습니다. 자기가 찾아낸 걸 좀 보라면서요.

"저 구덩이 안쪽에 뭔가 있어요. 저기, 구석에 흙 덮인 쪽에."

그때 오르솔랴가 찾은 게 정확히 무엇이었는지는 모르겠습니다. 아마 직물 조각이나 장신구 같은 게 아니었을까 싶습니다만. 왜냐하면 제가 들여다본 근처의 다른 구덩이에도 그런 게 한두 개씩은 떨어져 있었거든요. 직물의 경우에는 아마 의복에서 나온 것 같았는데, 건조하고 서늘한 데다가 빛이 들지 않는 지하 공간이라 보존 상태 자체는 꽤 좋아 보였던 반면 옷 모양이 온전히 남아 있는 건 이상하게도 없었습니다. 전부 이리저리 찢겨 있는 상태였지요. 장신구는 주로 금으로 된 물건이었고 종류가 꽤 다양했지만, 깊은 구덩이 안에 파묻혀 있는 걸 내려다보아야 했기 때문에 자세한 형상을 알아보기가 곤란했던 점이 아쉽군요. 그래도 문제의 구덩이들이 무엇을 위해 만들어졌는지를 어림짐작하는 것 정도는 가능했습니다. 구멍마다 옷가지가 하나씩 있고 또 귀중품이 조금씩 들어 있는 것 같다면, 다음으로 찾아봐야 할 물건은 무엇이겠습니까? 네, 정확합니다. 사람의 뼈지요. 의복과 부장품이 한데 묻혔다는 말은 즉 그곳이 일종의 무덤 역할을 했으리라는 뜻이니까요.

   모든 구덩이에서 유골을 찾을 수 있었던 것은 아닙니다. 대부분은 유품만 남아 있더군요. 직접 아래로 내려가서 뒤져 보았다면 결과가 약간은 달랐을지도 모르겠습니다만, 그때 침착하게 자제하는 대신 정말로 무덤 밑바닥까지 내려갔더라면 분명 큰일이 났겠지요. 주변 바닥은 지하 동굴답게 돌과 모래가 대부분이었지만 구덩이 안쪽 벽면은 재질이 전혀 달랐으니까요. 색깔은 허여멀건 황갈색이었는데 촉감은 꼭 파라핀 비슷한 무언가를 두껍게 칠해 놓은 것처럼 온통 미끈거렸으니, 혼자 힘으로 빠져나오긴 아마 절대로 쉽지 않았을 겁니다. 결국 제가 두 눈으로 가까이서 확인할 수 있었던 곳은 벽면에 뚫린 작은 방 내부뿐이었습니다. 엉금엉금

어른벌레

기어서 들어가야 할 만큼 좁은 방이었는데, 손전등 불빛을 깊숙이까지 비춰 보니 과연 찾던 물건이 거기에 있었습니다. 다 찢어진 옷 위에, 반짝이는 금제 장신구 사이에, 심하게 파손된 사람 두개골 하나가 말입니다.

구멍 안에서 유골이 발견되었다는 것은 그 장소의 용도에 대한 제 추측이 어느 정도 들어맞았다는 의미였지만, 저는 섣불리 결론을 내리지 않았습니다. '일종의 무덤 역할'을 했던 곳이 반드시 우리가 생각하는 무덤이었다고는 말할 수가 없는 법이니까요. 마음에 걸리는 부분도 있었고요. 만일 그 지하 동굴이 에크론의 필리스티아인 집단에 의해 만들어진 공동묘지라면, 왜 2016년에 아슈켈론 근처에서 발굴된 필리스티아인 매장지와는 양식 면의 공통점이 전혀 보이지 않는 걸까요? 망자를 묻기 위해 그토록 깊은 굴까지 판 건 무엇 때문이며, 귀금속으로 된 부장품은 잔뜩 널려 있는 반면에 사람을 묻은 구덩이 자체는 그리 섬세하게 공들인 모습이 아니었던 이유는 또 무엇이었을까요? 지체 높은 사람들을 매장한 무덤이라고는 도무지 생각하기 힘든 모습이었습니다만, 그러면 그 모든 부장품의 소유자는 대체 누구였다는 말입니까? 생각이 여기에 미쳤을 때 저는 다음으로 찾아보아야 할 물건이 무엇인지 깨달았습니다. 오래 걸리지는 않았지요. 문제의 물건은 마침 유골 바로 앞쪽에 놓여 있었으니 말입니다.

그건 곤충 모양이 조각된 금제 펜던트였습니다. 어떤 곤충이었느냐고요? 눈은 크고, 배는 불룩하고, 날개는 양쪽으로 뻗어 있는 곤충이었지요. 필요하시다면 여기 기억을 되살려서 스케치해 둔 걸 보여 드릴 수도 있습니다만, 이게 얼마나 도움이 될지는 모르겠군요. 과거 사람들이 추상적으로 묘사해 둔 예술품의 정체를 알아내기 위해서는 곤충학적인 분석보다도 고고학적 맥락에 따른 해석이 더욱 필요한 법이니 말입니다. 지하 유적이 위치한 텔 미크네는 원래 필리스티아인의 다섯 도시 중 하나인 에크론 근방이었고, 에크론은 마침 어떤 곤충과 연관되어 있는 신을 섬겼다고 기록된 바 있는 곳이 아닙니까? 에크론에서 모시던 신의 이름을 수사관님도 어디선가 한 번쯤은 들어 본 적이 있으실 겁니다. 구약성서의 열왕기에 언급된 바 있는, 병을 낫게 하는 권능을 가졌던 것으로 추측되는, '파리의 왕'이라는 의미를 지닌 신의 이름을요.

바알 제붑.

유명한 이름이지요. 후대의 기독교 전통에서는 사탄의 다른 호칭이라든가 특정한 대악마를 일컫는 말로 쓰이곤 했습니다만, 이스라엘 통치기 이전의 에크론에서 '바알 제붑'이 정확히 어떤 신이었는지에 대해서는 학계에서 합의된 바가 사실상 없습니다. '바알'은 북서 셈 어족의 언어로 '지배자'를 뜻하는 단어일 뿐이고 실제로 여러 문화권을 통틀어 그 이름으로 불린 신은 셀 수도 없이 많으니까요. 여태까지 우리가 알 수 있었던 것은 한때 에크론에서 어떤 '바알'을 숭배했으며, 그 신이 유대 민족에게 '바알 제붑'으로 알려졌던 시기가 존재했다는 사실뿐입니다. 네, 그것도 여태까지의 이야기입니다만. 텔 미크네의 지하 유적 안쪽 방에서 곤충 모양 펜던트를 눈에 담은 그 순간, 저는 이것이 분명 파리를 형상화한 유물이며 동시에 필리스티아인들이 숭배한 신 바알 제붑의 상징일 것이라고 확신했습니다. 다시 말해 제가 찾아낸 유골은 신의 상징물, 그리고 자신의 것일 리 없는 여러 장신구와 함께 묻혀 있었던 것이지요. 이게 무얼 의미하는 정황이겠습니까? 장신구도 유골도 전부 바알 제붑에게 바쳐질 제물이었다, 즉 그곳이 인신 공양의 현장이었다는 말 아니겠습니까?

가슴이 흥분으로 마구 뛰었습니다. 성서에 잠깐 언급되었을 뿐 그 실체는 온전히 수수께끼로만 남아 있었던 에크론의 신, 바알 제붑을 위한 인신 공양 흔적을 제가 최초로 발견한 상황이었으니 당연했지요. 이 정도로 중요한 발견이라면야 윗선에서도 발굴 중단을 재고해 주지 않을까, 무단으로 탐사를 벌인 문제도 눈감아 주지 않을까, 그런 생각이 획획 머릿속을 스치더군요. 하지만 일단은 제가 알아낸 사실을 다른 둘에게도 전해 주는 일이 먼저였지요. 파리 모양 펜던트를 함께 확인하면서 스트롱혼 박사와 이 흥분을 나누고 싶었습니다. 오르솔랴의 더욱 전문적인 판독 의견도 듣고 싶었습니다.

그런데 빨리 와 보라고 몇 번이나 소리쳐 불러도 도대체 올 기미가 없지 뭡니까. 대답도 전혀 없었고요. 바쁘게 작업 중인가 싶어서 슬쩍 돌아봤더니만 글쎄, 둘이서 멍하니 천장만 응시하고 있는 겁니다. 제가 어떻게 했겠습니까? 아, 뭔가 천장화라도 있나 보다, 하고서 똑같이 고개를 위로 쭉 젖혔지요. 손전등 불빛을 같이 비추면서요.

그리고… 비로소 그것들의 존재를 눈치챈 겁니다.

진작에 알았어야 했습니다. 그런 상황을 예상할 수는 없었을지언정, 최소한의 위화감 정도는 어떻게든 느꼈어야 했단 말입니다. 사방에 뚫린 구멍이 인신 공양을 위한 장소였다면, 왜 유골은 그중 고작해야 몇 군데에밖에 남아 있지 않았을까요? 나머지 유해는 대체 어디로 갔단 말입니까? 아아, 천장, 천장에는 그림 같은 건 없었고, 대신 작은 구멍이 아주 빽빽하게 뚫려 있었습니다. 그리고 그 구멍마다, 작고 허여멀겋고 재빠르게 기어 다니는 뭔지 모를 것들이 불쑥불쑥 튀어나와서, 소름 끼치게 샛노란 눈으로 저마다 아래쪽을 내려다보고 있었지요. 몇 놈이 날개를 펼치고 푸드덕거리는 것이 어렴풋하게 박쥐처럼 보이기는 했습니다. 하지만 박쥐는 절대로 아니었어요. 몸이 훨씬 길쭉한 데다가 다리도 몇 개씩은 더 돋아난 것 같은, 그, 그게 도대체 뭐였을까요? 세상에 그런 짐승이 있을까요? 모르겠습니다. 제가 본 놈들이 무엇이었는지는 전혀 모르겠어요. 다만 제가 기억하는 것은 그

어른벌레

짐승들이 하나둘씩 떨어지듯이 달려들기 시작하던 순간의 모습, 그리고 머릿속을 날카롭게 파고들던 잊을 수 없는 괴성뿐입니다.

무작정 달렸습니다. 그것 말고 할 수 있는 일이 달리 무엇이 있었겠습니까? 구덩이에 빠지지 않으려고 애쓰면서 달리는 것만으로도 이미 한계였단 말입니다. 힐끗힐끗 올려다볼 때마다 놈들은 나선형으로 빙빙 돌면서 점점 더 가까워져 왔고, 그럴 때마다 그 크기도 더욱더 크게 느껴졌습니다. 날개가 여럿 달린 놈을 본 것 같기도 합니다. 머리가 어렴풋하게 들쥐를 닮은 놈도요. 그리고 그 뒤쪽에서, 천장 저 위쪽에서부터 스멀스멀 흘러내리는 듯한 새까맣고 번들거리고 형체를 알 수 없는… 아니, 모르겠습니다. 그때 본 광경은 아무것도 확신할 수가 없군요. 입구가 어디였는지, 방이 얼마나 넓었는지, 그런 것조차도 가늠이 안 되어서 그저 미친 듯이 달리고 또 달리기만 했으니까요. 겨우겨우 나갈 길을 찾았을 때쯤에는 이미 놈들이 바로 등 뒤까지 다가온 뒤였습니다. 쇳소리와 역겨운 숨이, 그 사이에서 불길하게 질척이는 육중한 움직임의 기척이 목덜미에 닿는 것만 같았습니다. 이젠 도망칠 수 없겠구나, 다 끝났구나, 그땐 그런 생각밖에 들지 않았습니다.

하지만 보시다시피 저는 이렇게 살아남았지 않습니까.

오르솔랴도 살아남아서 다른 병실에 입원해 있

다는 소식을 들었습니다. 얼마나 다행인지 모릅니다. 통로에서 제 뒤를 따라오던 발소리까지는 들었지만, 무사한지 아닌지는 당시에 미처 확인할 겨를이 없었으니까요. 솔직히 말해 그 지하 유적에서 탈출하던 때의 일은 거의 기억이 나질 않습니다. 내려갈 때도 적잖이 고생했던 그 경사를 어떻게 기어 올라왔는지, 어디까지 나와서 정신을 잃고 쓰러졌는지, 어쩌다가 구조되어서 이곳 병원까지 오게 되었는지, 그런 것들 말입니다. 다만 제가 똑똑히 기억하는 것은 그 좁은 통로를 향해 몸을 던지기 직전에, 괴물들에게 붙잡히려던 바로 그 찰나에 흔들리는 불빛 속에서 얼핏 돌아본 광경뿐입니다.

불빛 속에는 스트롱혼 박사가 있었습니다. 제 쪽으로 달려오고 있지는 않았습니다. 등을 보이고 선 채였죠. 크고 작은 온갖 날아다니는 괴물들한테 둘러싸인 채로, 여전히 눈에 띄게 떨면서, 하지만 물러날 생각이라곤 조금도 없어 보이는 모습으로 말입니다. 박사는 그것을, 괴물 박쥐들을 뒤따라 깜깜한 어둠 저편에서 다가오는 도무지 이해할 수 없는 무언가를 마주 보고 있었습니다. 홀로 막아서고 있었습니다. 그리고, 그, 그것이 박사의 머리를 향해 기다란 주둥이를 쭉 뻗고, 저는 한순간 저것이야말로 과거 에크론의 필리스티아인들이 숭배했다는 '파리의 왕' 바알 제붑 그 자체가 아닌가 하고 생각했는데, 그 시커먼 것이 머리를 완전히 집어삼키는 순간까지도 박사는 결코 움직이지 않았습니

어른벌레

다. 저와 오르솔랴가 그 지옥 같은 유적에서 무사히 도망칠 때까지 줄곧……. 대체 무슨 일이 있었는지, 테닐 스트롱혼 박사는 어떻게 되었는지 알려 달라는 것이 처음의 질문이었죠? 이것이 그 질문에 대한 제 답변입니다. 테닐 스트롱혼 박사는 스스로를 희생했습니다. 그것으로부터 우리의 목숨을 구하기 위해서요.

어째서 그런 행동을 하였는지, 말씀이십니까.

아마 죄책감 때문이었겠지요. 전 그렇게 생각합니다.

저와 오르솔랴에 대한 죄책감을 말한 것이 아닙니다. 그보다 더 오래도록 박사를 짓누르고 있었을 마음의 짐 이야기입니다. 네, 멜리수스 동굴 참사 말입니다. 하프트 교수를 포함한 세 사람을 동굴 속에 남겨 두고서 박사가 마지막으로 구조되어 나왔던 사건이지요. 말씀드렸듯이 박사로부터 당시 일에 대해 직접적으로 들은 적은 없기에 어디까지나 추측의 영역입니다만, 박사는 그 사건과 관련하여서 어떤 책임감을 느끼고 있었던 것이 아닐까요? 크레타섬의 그 동굴 속에서 일어난 일을 자신이 막을 수 있었다고, 막았어야만 했다고 줄곧 생각해 오지는 않았을까요? 지금 와서 돌이켜 보면 박사가 텔 미크네의 그 비좁은 굴속으로 들어가자고 처음 제안했던 것도 그저 순수한 탐구심의 발로만은 아니었겠다는 생각이 듭니다. 박사에게 그건 스스로의 과거를 바로잡을 수 있는 다시 오지 않을 기회였겠지요. 어두컴컴하고 위험한 동굴에서 이번에야말로 성공적인 탐사를 마치고 함께 귀환할 수 있는 기회. 그렇게 될 수 없다면 적어도… 적어도 자신의 목숨을 희생해서 다른 사람들을 구할 수 있는 기회.

마지막 순간에 스트롱혼 박사는 그 기회를 놓치지 않기로 한 겁니다.

과거를 반복하지 않기로 한 겁니다.

아, 아닙니다. 괜찮습니다. 정말로요. 잠깐 감상에 잠겼을 뿐입니다. 수사관님은 수사관님의 일을 하셔야지요. 제게 질문할 것이 있어서 여기까지 먼 걸음을 하신 것 아닙니까? 저는 신경 쓰지 마시고 마지막 질문이든 뭐든 편하게 하십시오. 네, 알겠습니다. 듣고 있습니다.

잠시만요. 잠깐. 날짜를 다시 말해 주십시오.

허어, 그럴 수가. 그게 무슨 일이람.

제가 이 병원으로 옮겨진 지 사흘 뒤로군요. 맞습니까? 유적지 현장에서 야간 경비를 서던 인원이 이상한 진동을 느꼈고, 토굴 입구가 무너져 있는 걸 확인했고, 보고 후 원래 위치로 돌아오던 중에… 뭔가를 목격했다는 말씀입니까. 조금 더 자세히 설명해 주시지요. 어떻게 생긴 놈이었는지. 크기는 어떠했고, 어떤 색이었고, 어떻게 움직이고 있었는지. 아, 그렇군요. 목격된 건 거기까지군요. 그리고 그 얼굴도 말이지요. 알겠습니다. 혼란스럽

어른벌레

네요. 그건 정말이지 혼란스러운 이야기입니다. 뭐라고 반응해야 할지 솔직히 모르겠습니다. 설마, 설마 그럴 리가요. 말이 안 되는 소리 아닙니까? 방금 말씀하신 내용을 제가 어떻게 이해할 수가 있겠습니까? 죄송합니다. 물 한 잔만 더 마시지요. 진정이 되질 않는군요.

저는 눈앞에서 직접 봤습니다, 수사관님. 박사가 그 검은 형체에게 잡아먹히는 모습을요. 박사는 죽음을 각오하고 놈과 맞섰습니다. 스스로를 희생해서 우리를 탈출시켰습니다. 동료들을 버려두고 혼자서만 살아 나왔다는 과거의 죄책감을 벗어던지기 위한 단 하나의 일을 했고, 그 일에 성공했으며, 덕분에 지금 제가 이곳에서 수사관님과 이야기를 하고 있습니다. 저는 박사의 영웅적이었던 최후를 똑똑히 기억합니다. 그러니까 그날 텔 미크네에서 목격된 형체가 무엇이든 간에, 그건 결코 테닐 스트롱혼 박사가 아닙니다.

제가 드릴 수 있는 답변은 이것뿐입니다.

*****

흐음, 레온이 그런 식으로 얘기했단 말이죠.

일단 가장 신경이 쓰이는 것부터 하나 정정하고 싶네요. 저는 레온의 권유를 거절할 수가 없어서 그 동굴 속으로 들어간 게 아닙니다. 그런 얼토당토않은 거짓말을 증언이랍시고 했다니, 못 믿을 인간인 건 진작부터 알았지만 정말이지 어이가 없어서…. 일을 전부 자기 책임으로 돌려서 저를 감싸려는 의도였단 건 알겠어요. 하지만 아닌 건 아닌 거고, 불쾌한 건 불쾌한 겁니다. 제가 왜 그 사람 권유를 거절 못 하죠? 레온은 제가 정말로 그런 위치에 있다고 믿었던 걸까요? 하, 말도 안 되지.

맞아요. 레온은 텔 미크네 지하 유적 발굴 팀의 현장 책임자였죠. 예산도 제대로 배정 안 되고 관심도 못 받는 프로젝트의 책임자 말이에요. 그런 일을 떠맡은 사람이 학계에서는 얼마나 대단하신 영향력을 행사할 수 있을지야 안 봐도 뻔하지 않겠어요? 고작 그 정도의 압력에 굴할 만큼 정신이 나약한 사람이라면, 온갖 정치적 압력이 짓눌러 대는 이번 발굴 프로젝트 같은 데엔 애초에 참여하지도 않았을 거라고요. 그러니까 단언컨대 저는 레온의 강압 때문에 탐사에 동행했다가 겨우 함께 도망 나온 부수적 피해자가 아닙니다. 발굴 팀에 합류했을 때도, 비좁은 토굴로 몸을 들이밀었을 때도, 전부 제 순수한 학술적 호기심 때문에 그랬던 거죠. 세상에, 수사관님이 증언 내용을 확인해야겠다고 저한테 바로 찾아오신 게 천만다행이네요. 아니었으면 레온이 엉망으로 꾸며 낸 이야기에 꼼짝없이 속을 뻔하셨으니.

음? 아뇨, 증언이 죄다 거짓이란 말은 안 했는데요. 저와 레온과 테닐 세 사람이 수수께끼의 지하

어른벌레

유적에 발을 들였던 것, 테닐이 그곳에서 돌아오지 않은 것, 뭐 이런 내용까지 싹 지어낼 수는 없는 거 아니겠어요? 적어도 사건의 대략적인 얼개 면에선 레온의 증언이 거의 사실과 가까워요. 테닐이 발굴 팀에 들어오게 된 경위, 문제의 그날에 있었던 일, 우리가 거기에서 본 광경, 대략 그 정도는 말이에요. 하지만 그게 다입니다. 중요한 이야기를 너무 많이 빼먹었고 잘난 체 덧붙인 해석은 모조리 틀렸어요. 어쩌겠어요? 레온은 괜찮은 발굴 팀 리더긴 해도 결코 좋은 해석가는 아닌데. 더군다나 테닐 스트롱혼에 대해선 정말이지 제대로 아는 게 아무것도 없는 사람이라고요. 전 다릅니다. 테닐 이야기만큼은, 적어도 테닐의 연구 내용과 목적에 대한 이야기만큼은 레온보다 훨씬 정확하게 설명해 드릴 수가 있다고요. 혹시 시간 괜찮으세요? 저야 뭐 '생물학적 오염 정밀 검사' 어쩌구 하는 절차 때문에 꼼짝없이 갇힌 신세니까, 수사관님만 좋으시다면 얼마든지 길게 떠들어 드릴게요. 어차피 엄청 짧게 요약할 수 있는 얘긴 아니거든요.

좋네요, 좋아요. 그럼 어디서부터 이 고고학 수업을 시작하지? 테닐이 지금껏 어떤 연구를 해 왔는지 얘기하려면, 먼저 테닐 스트롱혼이라는 사람이 어떠한 연구자였는지 소개하는 게 올바른 순서겠네요. '얼토당토않은 가설을 늘어놓으면서 히스토리 채널이나 기웃거리는 괴짜'란 되도 않는 편견을 수사관님 머릿속에서 끄집어내야 할 테니까요.

참 나, 고고학계가 언제부터 테닐의 가설에 관심이나 줬다고, 뒤에서 험담이나 했지…. 무슨 말이냐 하면, 멜리수스 동굴 참사 직후쯤부터 해서 테닐을 근거 없이 비방하는 못된 소문이 계속 돌았어요. 테닐이 당시 탐사대 리더였던 대니얼 하프트 교수하고 큰 갈등을 빚었고, 그것 때문에 사고를 일으켰든지 아니면 교수를 일부러 놓고 왔든지 했단 헛소리였죠. 다른 생존자 몇 명이 정신 오락가락한 가운데서 늘어놓은 횡설수설을 자칭 학자란 인간들이 냅다 믿어 버렸다는 게 어처구니가 없는 일이에요. 아무튼 그 소문의 여파로 학계에서 테닐은 한동안 거의 없는 사람 취급을 당했어요. 무슨 연구를 하든지, 무슨 가설을 내놓든지 간에. 같은 학계의 동료 연구자로서 그 꼴을 보는 게 얼마나 괴로웠는지 알아요?

네에, 그러던 와중에 하필이면 그 많은 연구 내용 중에서 '나비 예수' 가설이 언론의 눈에 딱 하고 띈 거예요. 발표한 지 다섯 달 만에요. 참 뜬금없기도 하죠. 그래서 뭐 저질 타블로이드지에도 나오고, 더 저질인 인터넷 뉴스 사이트 나부랭이에도 실리고, 그러다가 히스토리 채널의 무슨 멍청한 프로그램에 딱 한 번 얼굴도 비추고. 그랬으니 학계에선 또 무슨 소릴 했겠어요? '저 학자로서의 양심까지 팔아먹은 놈이 관심을 구걸하려고 자극적인 가설을 펼쳐서 대중을 호도한다'는 식으로 프레임이 짜인 거죠. 진짜로 이게 다라니까요? 테닐 스트롱혼이라는 고고학자가 여태까지 발표한 연구 내용을 정리해서 쭉 읽어 보기나 했더라면, 아니면 하다못해 어떤 연구를 하는 중인지 한 번 물어나 봤더라면 레온도 감히 '괴짜' 같은 소린 못 내뱉었을걸요. 저야 당연히 둘 다 했죠. 오랜 관심사라서 최신 연구 내용도 꾸준히 확인했고, 발굴 현장에 도착했단 소식을 들었을 땐 곧바로 달려가서 대화도 나눴다고요. 그러니까 읽고 얘기한 내용을 정리해서 이렇게 당당히 설명을 드리려는 거지.

흠흠, 비전문가를 위해 가능한 한 핵심만 요약해 볼 테니까 잘 들으세요. 테닐의 가설은 미노아 문명이 융성하던 기원전 2000~1500년 즈음의 크레타섬에서 그 뿌리를 찾을 수 있는 모종의 종교적 사상 체계, 이른바 '크레타 원시종교 감마'의 존재와 그것이 끼친 전 세계적 영향에 대한 겁니다. 원래는 크레타섬 안에서만 전래되어 오던 믿음이 청동기시대 질서의 붕괴와 바다 민족의 대이동에 의해 세계 각지로 퍼져 나갔고, 그러는 과정에서 여러 문화권의 종교나 제례나 미술품에 그 흔적을 남겼다는 가설이라고 할 수 있겠네요. 그리고 테닐의 연구에 따르면 문제의 원시종교에는 아주 특징적인 교리가 하나 있었어요. 곤충 숭배, 더 정확히는 곤충의 완전변태 생활사에 대한 숭배, 즉 애벌레가 번데기가 되었다가 다시 나비로 탈바꿈하는 종류의 과정을 보편적인 우주의 작동 원리로 여기며 신성화하는 사상이었죠.

가장 대표적인 예를 들어 볼까요? 선형 문자 A 점토판 기록과 테닐이 직접 해석한 상형문자 비문에 이르길, 크레타 원시종교 감마 숭배자 집단은 사람도 곤충처럼 완전변태 과정을 거치면서 성장한다고 믿었대요. 애벌레가 고치에 스스로를 가두듯이 어린아이를 동굴이나 구덩이에 가두면, 그 안에서 아이가 어른으로 성장해 나온다고 생각했다는 거예요. 아, 저도 그 질문 테닐한테 똑같이 한 적 있는데. 혹시 아이를 가뒀다가 풀어 주는 게 일종의 성인식 개념이었던 거냐고요. '공동체 내에서 한 사람의 성인으로 인정받기 위해선 먼저 특정한 종류의 고난을 겪고 살아남아야 한다'는 통과의례로서의 성인식 개념은 세계 여러 문화권에 보편적으로 퍼져 있잖아요? 기억하기론 번지점프도 원래 바누아투의 한 섬에서 그런 목적으로 이뤄지던 의식이었다고 하던데. 아무튼, 테닐은 제 말이 입 밖으로 나오기가 무섭게 바로 고개부터 저었어요. 그러고선 이렇게 대답하더라고요.

"성인식은 어디까지나 사회적인 약속이죠. 자신이 한 사람 몫을 하는 인간이란 사실을 공동체에 증명하기 위한 일이고요. 반면에 원시종교 감마 숭배자들의 '고치 의식'은 마치 물리적인 법칙처럼 기술되어 있어요. '고치 의식을 거쳐야만 어른으로 취급해 준다'가 아니라, '고치 의식을 거치지 않으면 아이는 절대 어른으로 성장할 수 없다'는 식으로."

어른벌레

흥미롭지 않나요? 전 굉장히 흥미롭다고 생각했는데요. 그랬으니까 매일같이 테닐 숙소로 찾아가서 이것저것 꼬치꼬치 캐묻고 그랬던 거죠. 테닐 말이, 원시종교 감마와 관련된 상형문자 기록에서 '아이'와 '어른'을 나타내는 단어를 문자 그대로 해석하면 각각 '더 작은 사람'과 '더 큰 사람'인데, 문맥상으로는 분명히 육체적인 덩치를 나타내는 표현이지만 고치 의식을 마치고 나면 '더 작은 사람'이 갑자기 '더 큰 사람'으로 바뀐다고도 묘사된 거예요. 언제나 곤충의 우화와 관련된 신비주의적인 비유를 잔뜩 덧붙인 채로요. 녹아내린 몸이 다시 굳는다느니, 날개가 돋는다느니…. 교리나 사상이 담긴 실제 텍스트를 더 많이 확보할 수만 있다면 이런 묘사들이 정확히 어떤 종교적 의미를 갖는지도 추측이 가능하겠지만, 고대 문명의 기록이란 건 원래 고고학자의 성에 찰 만큼 풍족하게 존재하지 않는 법이라면서 테닐이 굉장히 아쉬워했던 게 기억이 나네요. 결국에는 명확히 적힌 기록이 아니라 모호한 유물, 그것도 아니면 후대까지 살아남은 전통 일부분으로부터 원래의 온전한 종교 형태를 유추하는 수밖에 없다면서요.

자아, 문화란 건 바뀌게 마련이에요. 시대가 지나면서 바뀌고, 다른 지역으로 퍼져 나가면서 또 지역에 맞게 바뀌죠. 원래 핵심적이었던 요소가 사라지거나 반대로 부수적이었던 요소가 전면으로 드러나는 일도 흔해요. 테닐은 크레타 원시종교 감마가 정확히 그런 과정을 거쳐 주변 문화권 곳곳에 변형된 흔적을 남겼으리라고 추측했고요. 이를테면 고대 지중해 지역에서는 동굴과 곤충이라는 고치 의식의 두 가지 주요 모티프가 '어린아이 제우스가 크레타섬의 동굴 속에서 벌떼나 님프 유모가 주는 꿀을 먹으면서 자랐다'라는 그리스 신화 전승, 그리고 '소의 시체를 폐쇄된 방 안에 넣어 두면 그 안에서 꿀벌이 태어난다'라는 부고니아 의식 이야기 안에 살아남아 있는 걸 확인할 수 있죠. 한편 지중해 지역에서 더 멀리 떨어진 레반트 지역 유대인들의 전통에도 희미하게나마 그런 흔적이 보인다는 게 테닐의 주장이었고… 그래요, 그놈의 '나비 예수' 말이에요. 똑똑히 말하겠지만 테닐은 신약성서에 기록된 예수 부활 기사가 고대의 나비 신에서 유래했다고 주장한 적이 단 한 번도 없다니까요? 단지 '죽어서 동굴에 갇혔다가 다시 태어나 하늘로 날아갔다'는 부분에서 크레타 원시종교 감마의 영향을 찾을 수 있다고 말했을 뿐이지. 멍청한 언론, 멍청한 히스토리 채널, 멍청한 학자 나부랭이들 같으니!

후우, 그래요. 여기까지가 테닐의 가설에 대한 설명이었어요. 제대로 이해했죠? 그랬으면 테닐이 기를 쓰고 텔 미크네에 오려고 한 이유도 대충은 짐작이 가시겠네요. 만일 예수 부활 이야기가 정말로 전래 과정에서 곤충 모티프가 탈각된 고치 의식에 뿌리를 두고 있다면, 유대 민족은 대체 어떤 경로로 먼 과거에 크레타섬에서 만들어진 종교의식에 대한 내용을 접했겠어요? 크레타섬에서 온 바다 민족의 일원이자 유대인들과 오래도록 충돌을 빚어 왔던 집단, 그리고 곤충 신을 숭배했다고 추측되는 도시의 주민이었던 필리스티아인에게서 배운 것 아니겠어요? 그렇다면 필리스티아인들은 크레타 원시종교 감마의 전통을 상대적으로 원형에 가깝게 보존해 왔던 집단이었을지도 모르죠. 이 때문에 테닐은 새로 발견된 필리스티아인 유적지 발굴 프로젝트를 그냥 지나칠 수가 없었던 거라고요. 자신이 지금껏 연구해 온 미지의 고대 종교에 대한 주요 단서가 혹시 저 땅속에 묻혀 있을지도 모른다는 생각 때문에. 세상에, 얼마나 필사적이었으면 편지를 보내고 그 난리를 쳤겠어요?

네, 테닐은 필사적이었어요. 텔 미크네에 오기 전에도, 온 후에도.

그랬으니까 굳이 그 밑으로 들어갈 마음을 품었겠죠.

레온은 아마 조금도 눈치를 못 챘겠지만, 테닐은 사고 트라우마 때문에 감정이 메말라 버린 사람이 절대 아니었어요. 다만 남들 앞에서는 자기 자신의 감정을 감출 줄 알았을 뿐이에요. 자신이 무언가에 열광하는 모습을, 연구에 불철주야 매달리는 모습을 남들이 어떤 시선으로 볼지 뼈저리게 알고 있었을 테니까. 자신의 가설을 입증할 결정적인 증거를 찾아내야만 한다는 사명감에 줄곧 휩싸여 있으면서도, 테닐은 남들의 비웃음을 피하기 위해서 그 사명감의 존재 자체를 꽁꽁 감춰야 했던 거예요. 숙소에서 저를 앞에 두고 지금까지의 연구 성과를 자랑스레 펼쳐 놓을 때만큼은 빼고 말이죠. 생기라곤 찾아볼 수가 없었다고요? 같이 5분만 얘기를 해 봤다면 테닐이 얼마나 말이 많은 사람인지 알았을 텐데.

그날도 그랬네요. 서쪽 구역 발굴을 시작한 지 이틀째였나 그랬는데, 이번 프로젝트에서 새 구역에 손대기 시작할 때면 으레 그랬듯이 지긋지긋하게도 쏟아져 나오는 도자기 조각들을 소화하느라 다들 정신이 없을 시기였죠. 테닐도 자기한테 쏟아진 일 처리하느라 바빠 보였고, 저도 제 코가 석 자였고, 그래서 그 이틀 동안은 연구 얘기를 거의 나누질 못했어요. 그런데 저녁 먹고 들어와서 좀 누워 있으려는 찰나에 갑자기 테닐이 불쑥 방에 들어오는 거예요. 제가 찾아간 적은 많아도 그 반대는 처음이라서 깜짝 놀랐죠. 얼굴도 엄청 상기돼 있길래 도대체 무슨 일이냐고 물어보려고 했는데, 미처 말 꺼내기도 전에 대뜸 휴대폰으로 찍은 사진 하나를 내밀어서 보여 주더라고요. 거의 횡설수설하다시피 막 이러면서.

"이거 봐요. 오늘 찾은 파편인데, 도자기가 아니에요. 역시 뭔가 있을 줄 알았어요. 저긴 그냥 창고가 아니야. 아래에 분명 뭔가가 있어요. 찾아내야 해. 더 샅샅이 뒤져 봐야 해."

어른벌레

일단 침대에 앉혀 놓고 진정부터 시키고서 사진을 찬찬히 확인해 봤는데, 테닐 말이 맞았죠. 사진에 찍혀 있는 파편은 도자기에서 나온 게 아니었어요. 더 두껍고, 납작하고, 표면에 문자 열두어 개가 새겨져 있고. 그건 점토판 조각이었어요. 물론 결코 평범한 점토판 조각도 아니었고요. 어떤 문자가 적혀 있는지 확인하자마자 제가 뱉은 말이 이거였으니까요.

"페니키아 알파벳이 아니잖아요? 키프로스-미노아 문자네요! 이런 건 지금껏 아슈켈론에서밖에 나온 적이 없었는데!"

필리스티아인들이 이주 지역의 토착 언어와 문자를 자신들의 것으로 받아들이기 전, 아직 고향의 문자를 그대로 사용하고 있을 때의 유물이었다는 소리예요. 키프로스-미노아 문자는 아직 선형 문자 A처럼 완전히 해독되지는 않았지만 그래도 부분적으로는 뜻을 알 수가 있으니, 만일 점토판의 파편을 전부 모아서 맞출 수만 있다면 우린 정착 초기 필리스티아인들의 언어와 문화에 대해서 아주 많은 걸 배울 수 있겠죠. 아주 뜻깊은 발견이에요. 뭐어, 테닐이 주목한 것은 그 부분이 아니었지만요. 점토판 끄트머리쯤에 아슬아슬하게 걸려서 적힌 단어 하나였지.

"이거예요. 직역하자면 '작은 사람을 담은 것'이고, 문맥상으론, 곤충의 번데기나 고치."
"… 그리고 크레타 원시종교 감마의 성장 의식

이름이네요."

"제 예상이 맞았어요. 레온은 이번 유적이 단순한 지하 창고였을 거라고 말했지만, 종교적 내용이 적힌 점토판이 이렇게 출토됐다면 얘기가 다르죠. 원래는 종교적 목적으로 쓰이던 동굴이었다가 후대에 전통이 소실되면서 창고로 바뀌었을 뿐일지도 몰라요. 다시 말해 적어도 이곳에 정착한 직후의 필리스티아인 집단 사이에는 아직 기존의 믿음과 제의 형식이 그대로 남아 있으리라는 거예요. 키프로스-미노아 문자가 페니키아 알파벳으로 대체되기 전까지 계속 사용되었던 것처럼!"

막 숨을 헐떡이면서 이렇게 소리치는 게 당장이라도 유적 아래로 뛰어 내려갈 기세였죠. 점토판 조각이 출토된 유적 서쪽 구역에 다른 단서도 남아 있을 거라고 완전히 확신에 차서. 하지만 온갖 멸시를 받아 가면서 외부 자문 위원 자격으로 겨우 발굴 팀에 들어온 사람이 그렇게 규정에 어긋나는 방식으로 행동했다간, 꿈에 그리던 발견은커녕 "그럴 줄 알았다."라는 소리나 듣고 당장 퇴출당하기나 할 게 뻔하잖아요? 그래서 일단은 다시 한번 테닐을 진정부터 시켜야 했고, 그다음엔 도와줄 수 있는 일이 뭐가 있을까 생각해 봐야 했어요. 사실 그리 어렵진 않았네요. 현장 연구자들한테 '서쪽 구역에서 특이점을 우선적으로 찾아 달라'고 부탁하는 것 정도는 제 위치에서도 충분히 가능한 일이었거든요.

어른벌레

뭐어, 즉시 손을 써 둔 성과가 바로 다음 날에 나올 줄은 몰랐지만요. 그것도 그렇게까지 깜짝 놀랄 만한 형태로는 말이에요. 다른 점토판 조각이라든가 벽에 새겨진 글자, 뭐 그런 게 있는지 신경 써서 찾아 달라는 뜻이었는데 글쎄 웬 토굴 입구를 발견했다잖아요. 당연히 놀랄 수밖에 없지. 상황이 그쯤 되니까 테닐은 물론이거니와 저까지도 두근거림이 멈추질 않더군요. 다만 한 가지 걸리는 점이 있다면 보고받은 토굴 입구의 폭이 아슬아슬하게 좁아서 직접 진입하기에는 좀 위험이 따를 것 같다는 사실이었죠. 그래서 일단은 레온을 통해 상부에서 탐사 장비를 좀 빌려 보자는 합의를 봤는데, 그 땐 그게 괜찮은 생각 같았는데… 장비 대신 우리가 받은 선물이 뭐였는지는 이미 들으셨을 거예요. 으음, 여기에 대해서는 의도적으로 말을 좀 줄이도록 할게요. 제가 얼마나 다채롭게 욕을 할 수 있는지 알아보려고 수사관님이 여기까지 오신 건 아닐 테니까. 내가 다시는 그 작자들 밑에서 뭘 하나 봐라, 진짜! 아악! 다 죽어!

흠, 좋아요. 어디까지 했죠? 그래, 소식을 듣자마자 레온도 물론 폭발했어요. 전 사람 얼굴이 그렇게까지 새빨개질 수 있단 사실을 그때 처음 알았다니까요. 충분히 이해가 가는 게, 자기가 책임을 맡은 발굴 프로젝트에서 추가로 성과를 낼 수 있을지도 모르는 상황에서 윗선의 결정 하나 때문에 모든 기회가 날아가게 생긴 거잖아요. 전화기에다 대고

버럭버럭 소리를 질러 대면서 어떻게든 발굴 중단 지시를 취소시켜 보려고 기를 쓰던 모습이 눈에 선하네요. 하지만 레온이 질러 대는 소리 정도에 윗선이 어디 꿈쩍이나 했겠어요? 꽉 막힌 윗선도 윗선이거니와, 그 사람은 자기 영향력을 항상 좀 과대평가하는 경향이 있다니까요. 아무튼 레온이 그렇게 무의미한 삽질이나 하고 있는 동안에 저는 엉망진창 돼 버린 상황 수습할 시간부터 벌어 보겠다고 머리를 굴리기 시작했죠. 유적 입구 쪽 보강 공사가 괜찮은 핑계 같았어요. 계획을 정리해서 보여 주니까 그때서야 레온도 현실을 깨닫고 납득하더라고요. 적어도 당시엔 그게 최선의 방법처럼 보였어요. 어영부영 일주일 정도 시간 끌면서 마칠 수 있는 일만 최대한 마치고 떠나는 게.

그리고 테닐한테도 자기 일 마칠 시간을 좀 주고 말이죠. 네에, 그 얘기 맞아요. 처음부터 계획한 거예요. 테닐의 일생의 목표가 바로 눈앞에 있을지도 모르는데 어떻게 여기서 포기하고 집에 가란 말을 해요? 장비도 못 빌리게 됐고 시간까지 촉박해졌으면, 오히려 이것저것 준비한답시고 미룰 거 없이 최대한 빨리 들어가 봐야죠. 슬쩍 동굴 속에 들어갔다 나와서 탐사 내용 정리하고 유물 적당히 분류해 놓은 다음에 짐 꾸리는 것까지, 딱 일주일 정도면 될 것 같았다고요. 물론 위험천만한 계획이었어요. 테닐은 자기가 다 책임지고 혼자 다녀오겠다고 했지만 그건 말도 안 되는 소리였고, 팀원들을 동원할 수 없다면 최소한 저는 같이 따라가 줘야 했죠. 거기에다가 한 명이 더 있으면 좋았고요. 인력 문제가 아니라, 저랑 테닐 대신에 독단적 행동에 대한 책임을 져 줄 수 있는 사람 말이에요. 테닐이 직접 레온을 설득하겠다고 나섰을 땐 조금 놀랐지만… 사실 설득이 어려울 거란 생각은 한 번도 안 했네요. 윗선한테 그런 취급을 당한 직후였는데, 뭐든 그쪽이 기겁할 만한 짓을 한 번쯤은 저질러 보고 싶었을 게 뻔하잖아요. 아, 뭐어, 고고학적 탐구심 그런 것도 있었을 테고요. 사람이 그것까지 부정하면 안 되지. 내가 자기 명령으로 뒤늦게 합류한 것처럼 거짓말하는 게 아무리 꼴사나워도.

음음, 그래서 그렇게 됐어요. 이 뒤에 우리가 저지른 일은 대충 알고 계시죠? 다음 날 오전 6시 언저리에, 다 같이 짐 확인하고 손전등 들고 유적 아래로 내려가서, 뭐가 도사리고 있을지 모르는 동굴 입구로 무슨 3인조 도굴꾼처럼 조심조심 걸어갔던 거 말이에요. 시작도 해 보기 전에 들킬까 봐 그렇잖아도 엄청 초조했는데, 자신 있게 앞장서서 가던 레온이 하필 글쎄 길까지 헤매더라니까요. 한 치 앞도 안 보이게 깜깜했으니까 어쩔 수 없다고 생각은 하면서도 그땐 얼마나 원망했는지 몰라요. 그래도 문제의 토굴 입구까지는 어찌어찌 무사히 도착했고, 생각보다 훨씬 더 좁아 보여서 과연 저길 통과할 수나 있을지 걱정하던 차에, 글쎄 테닐이 제일 먼저 쏙 들어가 버리지 뭐예요. 그때 제일 먼저

든 생각이 뭐였는지 알아요? '다행이다, 저 정도면 나도 들어갈 수 있겠네.'였다니까요. 웃기죠. 하필이면 그런 시답잖은 걸 진지하게 걱정하고 있었다는 게.

앞으로 무슨 광경을 보게 될지는 조금도 모르고서 말이에요.

후우, 잠시만 숨 좀 돌릴게요. 최대한 좀 가볍게 말해 보고 싶었는데, 이게 생각보다 쉽지가 않네. 이해해 줘요. 별로 제정신으로 말할 만한 이야기도 아니거니와, 아마 수사관님도 제가 제정신으로 말한다고 생각 안 할 거잖아요. 그 밑에서 보고 들은 걸 아무리 있는 그대로 털어놓는다 한들 과연 누가 믿어 주겠어요? 그렇다고 해도 있는 그대로 털어놓긴 할 거지만요. 가능한 한 말이에요. 유적 지하로 진입한 뒤의 일은 기억이 군데군데 조금씩 희미한데, 이게 죄다 헛것이라서 그런 건지, 아니면 전부 사실이었는데 심리적인 충격 때문에 망각이 된 건지 저는 도무지 판단이 안 서네요. 그래도 최대한 말이 되는 소리를 들려 드리려고 노력은 해 볼게요.

아, '말이 되는 소리' 얘기가 나왔으니까 말인데, 통로를 따라서 내려가는 동안 테닐이 계속 뭐라 뭐라 중얼거렸다는 얘길 레온이 해 줬나요? 안 했죠? 아마 못 들었을 거예요. 끄트머리에서 따라오는 중이었으니까. 하지만 저는 통로에서 테닐 바로 뒤에 있었고, 그래서 그 사람이 어기적어기적 걸어가면서 끊임없이 혼잣말하는 걸 전부 들었죠. 근데 딱

히 이해가 가는 말은 아니었어요. 목소리가 작았던 데다가 동굴 벽에 울려서 또렷하지 않기도 했지만, 그보다는… 혼잣말 중에 제가 이해할 수 없는 언어가 절반이었거든요. 무슨 기도하는 어조 같긴 했는데, 어느 나라 말이었는지도 모르겠고 테닐한테 종교가 있긴 했는지도 확신이 안 서네요. 뭐어, 어쩌면 마음을 안정시킬 일종의 만트라가 필요했을 뿐일지도 모르고요. 동굴 깊은 곳으로 향하던 도중이었잖아요. 비좁고 앞도 잘 안 보이니까 평범한 사람도 충분히 긴장할 만한 상황인데, 테닐은 동굴과 관련해서 안 좋은 경험까지 있었으니 심적인 부담이 더 컸을 수 있죠.

사실 그 부분을 많이 걱정하긴 했어요. 지하 탐사를 강행하기로 결정한 순간부터 줄곧 걱정이 됐죠. 정말 괜찮을까? 분명히 트라우마가 있을 텐데, 혹시 그 때문에 공황이라도 오면 소수 인원만으로 대처할 수 있긴 할까? 본인이 문제없다고 딱 잘라 말했으니까 저도 얘기는 더 안 꺼냈지만, 혹시라도 낌새가 안 좋으면 즉시 멈춰서 쉬든지 데리고 나가든지 해야겠단 생각은 여전히 하고 있었죠. 하지만 적어도 통로 안에서는 테닐이 더 이상 못 걷고 주저앉거나 하는 일은 없었어요. 오히려 하도 거침없이 쭉쭉 나아가는 바람에 제가 따라가느라 고생했으면 고생했지. 벽에 뭐 적힌 게 있는지도 확인하고 그러면서 천천히 좀 갔으면 했는데, 테닐은 자기가 찾던 게 통로 끝에 있으리라고 아주 굳게 확신한 모양이더라고요. 그럼 어쩌겠어요? 통로 관찰은 레온한테 맡겨 두고서 일단 빨리 뒤쫓아가는 수밖에요. 계속, 계속, 이 지긋지긋한 굴이 도대체 언제쯤에나 끝날지 생각하면서.

그래도 끝이 나긴 했지만요. 이 정도면 꽤 깊이 내려온 것 아닌가? 나갈 땐 괜찮으려나? 하고 생각할 때쯤에 슬슬 경사가 줄어드는가 싶더니, 다음 순간에는 테닐의 어깨 너머로 커다란 방이라고 불러도 될 만한 공간이 얼핏 보이더라고요. 넓기도 넓었지만 일단 천장이 높아 보여서 그게 제일 반가웠죠. 통로에서는 내내 허리를 굽힌 채로 걸었으니까. 그래서 방에 발 들이자마자 일단 허리부터 시원하게 한 번 폈고, 그다음엔 손전등으로 주위를 여기저기 비춰 봤는데… 온 사방에 구멍이 뻥뻥 뚫린 게 꼭 무슨 에멘탈 치즈 속에 들어온 줄 알았다니까요. 그리고 그 치즈 정중앙쯤에는 먼저 도착한 테닐이 서 있었죠. 그때에서야 거기까지 가는 동안 줄곧 중얼거리던 말소리가 생각이 났고, 혹시 지금 상태는 괜찮은지 얼굴이나 슬쩍 확인하려고 했는데, 몇 발짝 다가가서 보니까 굳이 그럴 필요가 없을 것 같지 뭐예요. 트라우마 때문에 공포에 질리기는커녕 엄청나게 흥분해 있는 게 뻔히 보였으니까. 기뻐서 어쩔 줄 모르고 아주 몸만 파르르 떨던데요. 그 시점에서 아마 확신했던 거겠죠. 자신이 어떤 유적의 한가운데에 도착한 것인지.

하지만 저는 그때까지도 제가 도대체 어디에 있

어른벌레

는 것인지 전혀 몰랐어요. 그 수많은 치즈 구멍이
뭘 위해서 뚫려 있는 건지도 물론 몰랐고요. 일단
은 아무 데나 한번 들어가 볼까 싶었는데, 벽면이
빛을 받아 번들거리는 게 아무래도 심상찮아 보여
서 만져 봤더니 밀랍을 몇 겹으로 발라 놓은 것처
럼 엄청 미끄럽더라고요. 구멍 너머로 찢어진 옷이
랑 또 뭔가 반짝거리는 게 보이기는 했는데 덕분에
정확히 뭐였는지는 확인을 못 했네요. 오, 레온이
자기가 찾은 유물을 스케치해 줬다고요? 사진 찍
은 게 있어요? 어디 좀 보자고요, 빨리… 저런 걸
찾았으면 진작에 말을 하지! 파리는 무슨, 딱 봐도
미노아 문명의 벌 모양 펜던트잖아요! 크레타섬의
크리솔라코스에 있는 무덤 유적에서 저것과 아주
비슷한 양식의 장신구가 출토된 적이 있어요. 즉
우리가 발견한 유적은 크레타섬 문화의 영향을 그
대로 간직하고 있었다는 뜻이고, 또한 정착 초기의
필리스티아인 집단이 완전변태하는 곤충을 중요시
하던 자신들의 옛 전통을 새 터전에서도 잠시 유지
해 나갔으리라는 암시이기도 하죠. 그래요, 테닐이
전부 옳았어요. 그리고 텔 미크네 지하 유적이 테
닐의 가설에 정확히 부합하는 장소였다면, 제가 들
여다본 구멍들이 무엇이었는지도 가설에 따라 추
측해 볼 수가 있겠죠. 크레타 원시종교 감마의 핵
심적인 제의, 어린아이를 구덩이에 집어넣으면 알
아서 어른으로 성장해 나온다는 믿음의 산물, 점토
판에 적혀 있던 그 단어. 우리는 고치 의식이 치러
지던 방 안에 있었던 거예요. 여기까진 어느 정도

확실한 것 같군요.

문제는 여기서부터예요. 방 안에 난 구멍들이 죄다 '고치'였다면, 제가 그 안에서 본 건 도대체 뭐였던 거죠? 옷이랑 반짝이 말고요. 대다수의 구멍에는 그것들밖에 안 들어 있었지만, 열심히 손전등 불빛 비추면서 돌아다니다 보면 대략 네다섯 개마다 하나씩은 다른 게 보이더군요. 맞아요, 해골. 레온도 봤다고 했죠. 깨진 머리뼈였댔나 뭐랬나. 처음 발견을 땐 저도 그러려니 했는데, 그야 애를 구덩이에 가두고 성인이 되길 바라는 의식을 치렀다면 당연히 못 나오고 시체가 된 애도 있었을 테니까, 근데 어쩐지 들어맞질 않는 거예요. 크기! 크기가 이상했어요. 멀찍이서 내려다보기에도 그게 어린아이 두개골 크기가 아니었으니까. 천차만별이었다고요. 어떤 건 작고, 어떤 건 완전히 성숙한 모양새고, 어떤 건… 제 머리통보다 두 배는 더 큰데다가 이마도 울퉁불퉁하게 튀어나와 있었다고요. 어두워서 잘못 본 건가 싶었어요. 그래서 테닐을 부른 거예요. 같이 좀 확인해 달라고. 당연히 놀랄 거라고 생각은 했는데, 정말이지, 그런 식으로 놀랄 줄은 몰랐어요.

"어른이 되다 만 유해잖아요? 드디어 확실한 증거를 찾았네요! 고마워요, 오르솔랴!"

이게 해골 보자마자 내놓은 반응이었다니까요! 도대체 무슨 소린가 싶어서 더 설명해 달라고 붙잡았는데, 너무 흥분해서 제 말은 도무지 들리지가

어른벌레

않는 것 같더라고요. 겨우 얻어 낸 대답이 이런 횡설수설이었어요.

"말했잖아요. 고치 의식을 통해서 '더 작은 사람'이 '더 큰 사람'으로 변한다고. 물리적이고 실제적인 과정이라고. 역시 그랬어요. 역대상 20장. 그때까지만 해도 '더 큰 사람'이 남아 있었던 거예요."

솔직히 말해 제가 제대로 들은 건지도 확신이 안 서네요. 애초에 그 이상한 두개골을 정말로 본 건지도 모르겠고. 땅굴 속이었잖아요. 산소가 부족했을 테니까 물체의 크기나 형태가 왜곡돼서 보였다 해도 이상하지 않죠. 환청을 들었을 수도 있고. 제가 아까 그랬잖아요. 말이 되는 소리를 들려 드리고 싶긴 한데 보장할 수는 없다고. 아, 그래. 제가 '역대상 20장'이란 단어를 제대로 들은 게 맞는지는 수사관님께서 직접 확인해 보셔도 되겠네요. 저는 뭐, 구약을 다 외우는 것도 아닌데 의사가 휴대폰까지 가져가 버렸으니 지금껏 알 방법이 없었거든요. 기왕 무슨 구절인지 찾아보시는 김에 저한테도 좀 읽어 주시면 감사하겠어요.

아니, 좀 쓸데없어 보이는 부분은 생략하고 읽어요.

그래요. 거기부터. 흐음, 그런 구절이란 말이죠.

끝인가요? 아, 그렇군요. 한번 요약해 보죠. 다윗 치하의 이스라엘이 필리스티아인과 전쟁을 벌였고, 여러 도시에서 '장대한 자의 아들'이라 불리는 거대한 사람들을 죽였고, 그중에서 라흐미라는 사람은 골리앗의 후손이었고, 또 손발가락이 여섯 씩 달린 거인도 있었고. 대충 이 정도네요. 하아, 정말… 뭐야 이게. 뭐냐고. 이젠 갑자기 말이 되는 것 같잖아. 그래, 그 유명한 골리앗도 필리스티아 사람이었어. 거인으로 그려지긴 하지만 생각해 보면 꼭 우리가 아는 사람의 형상이었으리란 법도 없고, 손발가락의 수가 다르다면 나머지 부위도 다를 수 있지. 더 큰 사람으로 변하는 의식. 사회적 통과의례가 아닌 물리적 신체 변화. 몸이 녹았다가 다시 굳는 과정. 처음부터 그 얘기를 하려던 거였구나. 어른에서 아이가 된단 게 그 소리였어. 우리가 아는 성장을 말하는 게 아니었던 거야. 도대체 무슨 말도 안 되는 소린지는 모르겠지만, 적어도 논리가 이해는 된다고. 말은 안 되지만 이해는 돼. 말은 안 되지만 이해는 돼. 말은 안 되지만 이해는 돼.

아, 음. 제가 많이 중얼거렸나요?

아니에요. 계속 얘기할게요. 이젠 할 수 있을 것 같아요. 제가 본 게 환각이었는지 아닌지는 아직까지도 결론을 못 내리겠지만, 설령 환각이었다고 치더라도 최소한 그 환각 속에서 무슨 일이 일어난 것인지는 알 것 같거든요. 그러니까 테닐은… 자기 가설을 저한테 전부 설명해 줄 생각이 애당초 없었나 봐요. 얘기해 줘도 어차피 안 믿을 것 같아서, 터무니없는 소리로 치부하고 비웃을까 봐서. 이해할 수 있어요. 고작해야 '나비 예수' 가설 가지고도 그렇게 조롱을 당했잖아요. 그랬는데 하물며 크레타 원시종교 감마의 고치 의식이 정말로 곤충의 완전변태처럼 인간의 몸을 완전히 바꿔 놓는 과정이었단 소릴, 성서에 기록된 필리스티아의 거인들이 그 산물이었으리란 소릴 어떻게 꺼낼 수가 있었겠어요. 본인조차 아마 정말로 믿지는 못했을걸요? 혹시 이런 건 아니었을까 하는 흐리멍덩한 상상만 품어 두었던 게 아닐까 생각해요. 자신이 옳았던 걸로 밝혀지면 정말 멋지겠다고 생각하면서. 가설을 보란 듯이 증명할 날이 언젠가 찾아오기를 바라면서. 정말로 물증이 눈앞에 나타나기 전까진.

그리고… 더 많은 물증이 천장에 있었고요. 처음 눈치챈 건 저였어요. 사람이 들어갈 만한 크기가 아닌 작은 구멍이 벽에 여러 개 뚫린 걸 봤는데, 그게 천장 쪽으로 갈수록 점점 더 많아진단 걸 깨달았거든요. 이것도 인위적으로 뚫은 건가 생각하면서 시선을 점점 올리던 중에 뭔가 움직임을 눈치챈 거예요. 눈으로 쫓기 힘들 정도로 빠르게 후다닥 움직이는 놈이었는데, 하나가 움직이니까 여기저기서 동시에 웅성거리는 소리가 들리고, 그 진동이 삽시간에 천장까지 쫙 퍼지더라고요. 그때쯤엔 테닐도 기척을 느꼈는지 저랑 같이 위를 올려다보고 있었죠. 그러고 있던 찰나에 레온이 부르는 소리가 들리는가 싶더니, 그 작자가 글쎄 갑자기 천장으로 손전등을 확 비추더라니까요! 아니, 탓할 일은 아니죠. 거기 뭐가 있는지는 레온도 몰랐고 저도 몰랐으니까. 그것들이 과연 뭐였는지는 아직까지도 알 길이 없고요. 예상은 해 볼 수 있겠네요. 만일 사람이 고치 의식을 통해 손발가락 여럿 달린 거인으로 변할 수 있다면, 박쥐도 비슷한 과정을 거칠 수 있지 않았을까요? 하하, 내가 도대체 무슨 소리를 하는 건지.

그래요. 레온이 빛을 비춰 준 덕분에, 천장에 빼곡히 박혀 있던 그놈의 '어른 박쥐' 떼거리가 그만 벌컥 짜증이 났나 봐요. 그 큼지막하고 제멋대로 생긴 놈들이 한순간에 소나기처럼 우수수 떨어지더라니까요. 침입자인 우리를 죽이려고 했나? 그런 것 같진 않아요. 레온은 자기가 무슨 해리슨 포드 행세라도 한 것처럼 말했던 모양인데, 제가 보기엔 그 괴물들한테 살상 의도가 조금이라도 있었다면 아마 우리가 이렇게 살아 나오진 못했을걸요. 봐요, 날짐승 떼의 습격을 피해 도망친 것치고는 상처도 하나 없잖아요? 놈들은 그냥 날개를 퍼덕이고 소리를 질러 대면서 우리를 위협했을 뿐이에요. 그러니까 침착하게 출구 찾아서 나가기만 하면 되는 일이었다고요. 충분히 탈출할 수 있었어요. 저도, 레온도, 그리고 물론 테닐도.

하지만, 네에, 테닐은 우리와 함께 빠져나오지 않았죠.

처음에는 분명히 저를 따라오고 있었어요. 적어도 출구 근처까지는 같이 달려왔다고요. 그런데 한

어른벌레

발짝을 더 내딛고 보니 테닐이 더 이상 곁에 없었고, 무슨 일인가 싶어서 뒤를 돌아봤더니 글쎄 반대로 가고 있더라고요. 뭔가에 멍하니 이끌리는 사람처럼. 당연히 붙잡아서 끌어오려고 했는데, 테닐이 제 손을 쳐 냈어요. 단호하게. 고개도 한 번 안 돌리고. 그다음에는, 저는 다시 손을 뻗었지만 이번엔 테닐이 너무 멀리 가 있었고, 따라가려고 몸을 돌리니까 정면으로 그게, 괴물 박쥐 떼 사이에서 형체를 가진 커다란 그림자처럼 흐물흐물 움직이면서, 입인지 팔인지도 알 수 없는 걸 쭈욱 뻗으면서… 저한테 묻지 마세요. 하나도 모르니까. 필리스티아인들은 그것의 정체를 알았을까요? 고대 크레타섬 주민들은? 그래도, 다른 사람은 몰라도 테닐만큼은 어렴풋하게나마 짐작 가는 바가 있었던 것 같네요. 제가 마지막으로 본 광경을 생각하면 말이에요. 그 새까만 무언가를 보자마자 저는 몸이 굳어서 움직이지도 못하고 있었는데, 테닐은 그게 자기 머리를 집어삼키려 하든 말든 그냥 계속 걸어가더니, 그, 구덩이 안으로 풀썩 뛰어들어 사라졌어요. 그것도 우글우글거리면서 뒤를 따랐고요. 그게 다예요. 마지막 순간에 테닐은, 초기 철기 시대에 필리스티아인들이 고치 의식을 치르던 구멍 속에서, 그 뭔지 모를 것과 함께 있기를 선택한 거예요.

아, 이젠 이유를 물어보시는군요. 당사자도 아닌 저한테.

하지만 추측이라면 못 해 볼 것도 없겠네요. 대충 감이 오기도 하고. 제 생각에 테닐은 그, 그 무언가가 자신의 가설을 완성시켜 줄 마지막 단서라고 생각했던 것 같아요. 애당초 사람이 구덩이 속에 들어갔다 나온다고 거인으로 바뀐다는 건 말이 안 되잖아요. 하지만 뭔가 외부의 힘이 개입한다면, 그러면 또 모르는 일이죠. 네에, 알아요. 아무리 논리적인 체 꾸며 봐야 헛소리처럼 들린다는 걸. 아마 테닐도 알았을걸요? 그 유적에서 빠져나가서 자기가 발견한 내용을 아무리 떠들어 봐야, 어차피 자기 말 따위는 그 누구도 진지하게 들어 주지 않을 거란 사실을 말이에요. 심지어 테닐 자신조차 지금의 저처럼 스스로가 겪은 일을 온전히 믿을 수 없게 되리라는 것도요. 그렇게 될 바에야 차라리… 차라리 자신이 옳았다는 사실 하나만큼은 확실히 하는 길을 택했던 게 아닐까요. 만일 마지막 단서를 내 몸으로 직접 증명해 보인다면, 그러면 최소한 나만큼은 내 가설을 부정할 수 없을 거야, 대략 이런 생각이었던 게 아닐까요. 바깥으로 나가서 또 학계에 자기 말을 입증하려 애쓰고, 또 논쟁을 벌이고, 어김없이 또 비웃음과 무시를 당하느니 그러는 게 훨씬 낫다고 느껴졌을 테니까요. 적어도 테닐한테는요.

그럼, 음, 제 대답은 여기까지네요. 할 말은 다 했고, 거기에다가 안 해도 될 말까지 다 끄집어낸 것 같은 느낌인데요. 막판에 가서는 제가 뭔 소리를 했는지도 모르겠다고요. 자아, 자아, 정신 차려야지. 혹시 뭘 더 도와드릴 게 있나요? "없습니다, 수고하셨습니다."라는 대답을 기대했는데 보아하니 아직 그 말이 나올 타이밍은 아닌가 보죠? 뭐든 더 물어보세요. 원하신다면 청동기시대 유럽 금속 공예품 분류학의 이론과 실제에 대한 속성 강의도 해 드릴 수 있답니다. 아, 그건 아니고요. 알겠어요. 얘기 계속하세요.

흐음, 흐음. 그래요. 그런 일이 있었다고요. 다친 사람은 없고.

대신에 뭔가 커다란 걸 본 사람은 있고요.

혹시 그 목격자란 사람이 사진은 안 찍었대요? 네에, 너무 당황해서 그럴 겨를이 없었다고요. 아이고야. 그럼 혹시 더 자세한 이야기라도 들을 수 있을까요? 뭐, 그런 거 있잖아요. 얼마나 컸는지, 뭐랑 닮아 보였는지, 소리 같은 건 혹시 안 냈는지…. 아, 으음, 참 애매모호하네요. 그런 주제에 한 가지는 확실하고요. 얼굴이 어쩐지 닮았다, 그렇단 말이죠. 이것저것 다 털어놓으면서 막 마음이 좀 정리됐다 싶었던 차에, 하필이면 이런 얘기를 들려 주신단 말이죠. 수사관님이 뭘 잘못했단 건 아니고요. 그래요, 그래. 아무튼 그게 저랑 레온이 지하 유적에서 빠져나온 지 사흘 만의 일이란 거군요.

감상을 물어보시는 건가요? 아, 그게 뭐라고 생각하는지 의견을 말해 달라고요. 글쎄요, 제가 환각의 영역으로 반쯤 밀어 넣고서 되는대로 중얼거린 이야기들이 실은 하나도 빠짐없이 전부 다 실제 일어난 일이었다는 명명백백한 증거? 그리고 동시에 테닐이 마지막의 마지막까지 전부 다 옳았다는 증거이기도 하겠네요. 그렇잖아요. 테닐은 자신의 가설을 입증하기 위해 스스로 그 구멍 속에 들어갔어요. 그러고선 사흘 뒤에 말씀하신 그 사건이 일어났죠. 그러면 저는 당사자의 연구 내용을 극히 일부분이나마 전달받은 동료로서, 그리고 마지막 모습을 지켜본 증인으로서 이렇게 말씀드릴 수밖에 없겠네요. 테닐의 가설은 사실로 밝혀졌고, 고치 의식은 성공했다고요. 그러니까 그날 텔 미크네에서 목격된 형체를 남들이 뭐라고 부르건 간에, 그건 분명히 테닐 스트롱혼 본인일 거라고요.

적어도 저는 그렇게 믿기로 결정했어요.

*****

내가 두 사람한테 들은 증언 내용은 이걸로 끝이야.

이걸 다 믿었느냐고? 그럴 리가. 말이 안 되잖아. 아니, 그런 의미로 '말이 안 된다'고 한 게 아니라, 각각의 증언을 전적으로 신뢰할 수 없는 이유가 있었다고. 일단은 두 증인의 말이 조금씩 어긋났지. 그렇다는 건 둘 중 적어도 하나는 있는 그대로의 사실을 말한 게 아니라는 뜻인데, 과연 둘 중 하나

어른벌레

만 그랬을까? 레온은 전반적인 사건의 경위를 꽤 충실하게 설명해 줬지만, 자기 자신이 한 행동만큼은 그다지 솔직하게 진술한 것 같지 않고 주변 정황에 대한 해석도 다소 자의적으로 했다는 느낌이 들었어. 현장 책임자로서 이번 일을 어디까지나 자신의 관할과 인지 아래에 묶어 두려는 것 같았다고 할까. 테닐 스트롱혼이라는 인물에 대해 더 깊이 알고 있었던 사람은 오르솔랴지만, 동시에 테닐과 그 가설에 대해서는 명백하게 편향된 호의를 보이고 있기도 했다. 자신이 주요 증인이 된 당시의 상황이야말로 오래도록 훼손된 채였던 테닐의 명예를 회복시켜 줄 절호의 기회라고 여겼던 게 아닐까 하는 생각도 드네. 정리하자면 두 사람의 증언 중에서 하나를 택해서 믿을 수는 없었다는 거야. 둘 다 의심해야 했고, 나아가서 둘 중 무엇에도 의지하지 않는 새 해석을 내놓아야 했어.

그러려면 먼저 단서가 더 필요했고 말이지. 어디서 시작해야 할지는 알 것 같더라. 테닐 스트롱혼의 연구 자료 말이야. 레온은 알지도 못했고 오르솔랴도 전부 들은 적 없는, 학계에 내놓는다 한들 어차피 아무도 알아주지 않을 거란 생각에 꽁꽁 숨겨 두고만 있었을 최신 가설과 증거들. 그런 게 분명히 있을 거라는 확신이 번뜩 들더라고. 돌이켜보니까 수첩이랑 노트북은 진작에 확보해 둔 참이기도 했고. 일단 까 보면 필요한 정보쯤이야 쉽게 손에 넣을 수 있지 않을까 했는데, 뭐냐, 일이란 게 그렇게까지 쉽게 풀리진 않았지. 예상했어야 했는데. 외부에 공개할 걸 전혀 상정하지 않고서 혼자만 보겠다고 쌓아 둔 연구 자료라는 건, 자기 자신한테야 그럭저럭 정리가 돼 있는 것처럼 보일지 몰라도 남이 보기엔 그냥 엉망진창인 잡동사니 무더기에 불과한 법이잖아? 메모는 난잡하고 폴더는 제멋대로 아무 데나 들어가 있고, 어디서부터 파야 할지 막막하더라니까. 몇 달 동안 느긋하게 들여다볼 수도 없는 노릇이었고. "나미르, 수사는 어떻게 돼 가나?" "나미르, 아직도 보고서를 안 올렸나?" "나미르, 인사고과에 업무 성실성이 가장 중요하게 반영된단 사실은 알고 있겠지?" … 내가 고생하고서 이딴 잔소리나 들으려고 직장 생활 하는 것도 아니니까.

그래서 대충대충 봤어. 딱 보고 뭔 소린지 이해할 수 있는 만큼만. 전문 지식이다 보니까 그런 게 많지는 않았는데, 또 하나둘씩 읽다 보면 새로 눈에 들어오는 정보가 있고 그러더라. 적어도 그 고고학자가 아무한테도 안 말하고 감춰 둔 내용이 한두 줄이 아니었단 것 정도는 파악할 수가 있었지. 이를테면 크레타 원시종교 감마의 교리에 대해서 말인데, 내가 이해한 게 맞다면 미노아 문명 시기의 텍스트에서 고치 의식을 거치기 전의 '더 작은 사람'과 의식 후의 '더 큰 사람'은 같은 사람이었더라도 문법적으로 아예 타인이란 것처럼 구분이 되어 있었다더라. '성장한 나미르'라든지 '한때 나미

어른벌레

르렸던 자' 같은 그런 식이 아니라, 의식 이전의 나 미르랑 의식 이후의 나미르가 완전히 다른 개인으로 취급받았다는 거야. 이것 말고도 뭐가 많았어. 테닐한테는 오르솔랴에게 소개해 준 것보다 몇 배나 더 방대한 자료가 있었고, 세워 놓은 가설도 잔뜩이었고… 그리고 열정도 어마어마하게 있었지. 아니, 그걸 그냥 연구에 대한 열정이라고만 부를 수 있을까? 내가 보기에 그건 신앙이었어. 자기 연구 주제에 대한 신앙. 그래, 남은 기록에 따르면 테닐은 크레타 원시종교 감마에 심취해 있는 것처럼 보였어.

언제부터 그랬는지는 잘 모르겠어. 자료가 시간순으로 정리돼 있진 않았으니까. 거의 신앙고백에 가까운 수기, 점토판에서 나온 문장 하나를 노트에 수십 번씩 빽빽하게 베껴 적은 흔적, 고대 그리스 복식을 입은 채로 구덩이 속에 들어간 자기 자신을 그린 스케치, 뭐 그런 것들이 여기저기 널려 있었을 뿐이지. 나름대로 기도문 같은 것도 하나 마련해 둔 모양이더라고. 당대 사람들이 교리를 마음에 와닿는 표현으로 구체화하는 데엔 관심이 없었던 모양이라고 굉장히 아쉬워하면서, 대신 웬 주나라 시대 유교 경전에서 가져온 구절을 크레타 원시종교 감마 사상의 정수로 꼽아 놨더라니까. 잠깐만, 그걸 어디에다가 적어 뒀는데… 찾았다. 《시경》의 〈소아〉 중에서 '소완'에 해당하는 시의 일부라고 돼 있네. 에흠, 흠, 한번 읽어 볼게.

언덕 가운데에 열린 콩을 사람들이 거두어 가고
(中原有菽 庶民采之)

뽕나무벌레가 낳은 자식을 나나니벌이 업어 가니
(螟蛉有子 蜾蠃負之)

그대도 자식을 잘 가르쳐 이처럼 착하게 키우라
(教誨爾子 式穀似之)

무슨 소린지 이해가 가? 구절 자체의 뜻도 그렇거니와, 특히 이게 원시종교 사상의 핵심을 담았다는 부분이 말이야. 크레타 원시종교 감마에서 곤충을 중요하게 여겼단 건 알겠지만, 사람이 콩을 따고 벌이 사냥을 하는 게 도대체 자식 교육하는 거랑 무슨 상관이고, 이게 곤충의 완전변태에 대한 신앙하고는 또 무슨 관계가 있단 건지…. 그런데 테닐은 이 구절에 완전히 꽂혀 있었더라고. 아마 종종 암송도 했던 것 같아. 지하 유적으로 내려가는 통로에서 테닐이 기도하는 어조로 알 수 없는 말을 계속 중얼거렸단 증언 기억해? 아마도 이게 그 기도의 정체 아녔을까. 중국어로 읽고 있었다면 못 알아들을 만도 했을 테니. 아무튼 간에 이 수수께끼의 시랑 이런저런 것들 때문에 골치 아파 하고 있던 차였는데, 그때 마침 분석 결과가 도착한 거야. 그래, 그거. 아론 하브릿에 맡겨 뒀던 생물학적 위험물 정밀 검사 내용.

결과가 어땠더라, 그래, 증인 두 사람의 혈액이랑 조직 샘플에선 아무런 이상을 찾을 수 없었댔지. 다시 말해서 내가 그 무겁고 답답한 방호복을

어른벌레

입고 앉아 있을 이유가 전혀 없었단 소리야. 텔 미크네의 토양이나 공기에서도 특별한 병원체는 발견되지 않았고…. 반면에 무너진 토굴 입구 부근에서 회수된 그 박쥐에서는 해부학적인 특이 사항이 산더미처럼 나왔고. 보고서 두께가 거의 장편소설 수준이더라. 체질량과 부피가 해당 종 평균 수치보다 몇몇 퍼센트만큼 더 크다, 종래에 알려진 바 없는 형태의 섬유상 구조체가 전신의 근세포를 대체했다, 변형된 신체 형태에 맞춰 골격이 완전히 재배열되었다, 어쩌구저쩌구. 그러는 와중에 내 눈에 띈 건 샘플의 신경계에 대한 분석이었어. 뇌를 비롯한 신경계 전체의 세포도 몸의 다른 부분이랑 마찬가지로 완전히 변형에 침식되어 있었는데, 다만 전반적인 신경 구조 면에서는 기존의 형태가 거의 그대로 유지된 것 같다는 얘기였지. 뭔 소린지 알겠더라고. 딱 그거잖아. 코드 짤 때 처음부터 끝까지 내가 다 짜는 게 아니라, 내 힘으로 구현 못 하겠다 싶은 부분은 남이 만들어 놓은 거 가져다가 호환만 되게 살짝 바꿔서 붙여 넣는 거.

근데 그러면 그건 내 코드잖아. 남이 짠 코드가 겉모습만 바꾼 게 아니잖아.

앞으로는 내가 짜 놓은 맥락 안에서, 내가 원하는 대로 동작할 테니까.

이런 생각이 한 번 들고 나니까, 그때부턴 테닐이 세운 가설 전체가 삽시간에 완전히 다른 모습으로 보이기 시작했지. 테닐은 크레타 원시종교 감마가 곤충의 완전변태를 신성시한다고 했지만, 그렇다기엔 완전변태하는 수많은 곤충 중에서 어쩐지 한 종류만 계속 언급됐다는 생각 안 들어? 크레타섬의 아기 제우스 전승, 부고니아 의식, 유적에서 발견된 펜던트, 전부 원시종교에 직접적으로 영향받았을 지역에서 나온 건데 또 전부 벌이랑 관련되어 있잖아. 동굴 속에서 다른 존재를 성장시키고 또 변화시키는 벌. 그렇게 보자면 '나비 예수'라는 가설 이름도 뭔가 기만적이야. '죽어서 동굴에 갇혔다가 다시 태어나 하늘로 날아갔다'라는 게 예수 부활 이야기의 전부는 아니지 않아? '날카로운 무언가에 찔려서 움직일 수 없게 된 예수를 동굴에 데려갔더니, 얼마 뒤에 그 동굴에서 예수가 되살아나와서는 하늘로 올라갔다'고 말하면 어때? 그럼 이건 더 이상 나비 모티프가 아니지. 완전히 다른 곤충이라고. 《시경》에 언급된 종류의 곤충, 사냥벌 말이야.

사냥벌이 어떻게 번식하는지 알아? 자연 다큐멘터리 같은 데서 본 적 없어? 무시무시한 놈들이야. 먼저 사냥감을 침으로 정확하게 찔러서 마비시킨 다음에, 자기 둥지에 데려가서 그 위에다가 알을 낳으면, 부화한 애벌레는 신선하게 살아 있는 먹이를 조금씩 파먹으면서 성충으로 자라난다고. 장 앙리 파브르는 이런 사냥벌의 행태가 너무 정교하기 때문에 절대로 자연선택에 따라 진화되었을 리 없다고 믿었어. 응, 바로 그거야. 벌이 애벌레를 들고

어른벌레

서 굴속으로 들어갔다 나오면 얼마 뒤에 그 굴에서 새로운 벌이 나오는 걸 보고, 옛 중국인들은 벌이 남의 자식을 잘 가르쳐서 자신처럼 길러 낸 거라고 여겼던 거겠지. 하지만 고대 크레타인들은 달랐어. 테닐이 남겨 둔 자료에 따르면 그 사람들은 관찰을 통해 사냥벌의 생태를 완전히 이해하고 있었을 거래. 물론 테닐도 알았을 테고. 그럼에도 불구하고 테닐은 《시경》의 구절이 원시종교의 교리를 함축하고 있다고 생각했지. 그 말인즉슨… 애초에 크레타 원시종교 감마에서 신성시했던 건 곤충의 완전변태가 아니었단 소리잖아? 진짜 핵심적인 요소는 사냥벌의 생식 과정이었던 거야. 구덩이 속에서 내몸이 미지의 무언가한테 속절없이 잡아먹히고, 결국엔 내 신경 구조만 빌렸을 뿐 나와는 전혀 관련이 없는 생명체가 대신 걸어 나오는, 기존의 나란 존재가 완전히 사라져 버리는 그런 과정. 자기 자신의 상실. 철저하고도 궁극적인 변화. 그런 걸 숭배했던 거라고. 텔 미크네 지하를 파서 유적을 만든 필리스티아인들도, 그리고 테닐도.

왜 그랬을까. 도대체 왜 자신이 아니게 되는 걸 동경했을까.

모르겠어. 상상도 해 본 적 없으니까. 내 자아의 연속성이 끊기고 희미한 흔적 정도만 간신히 남아서, 완전히 다른 몸뚱이 속에서 빌려 온 코드처럼 삐걱삐걱 동작하는 그런 상황을 우리가 평소에 생각하고 살지는 않잖아. 청동기시대 사람들이야 지금이랑 환경이 많이 달랐으니 어떨지 모르겠지만, 테닐은 청동기시대 사람도 아니잖아. 그런데도 자기 자신의 의식을 이 세상에서 지워 버리고 싶어 했다는 건, 정말 그럴 수 있는 기회가 왔을 때 뭔지 모를 것과 함께 기꺼이 구덩이 속으로 뛰어들기까지 했다는 건… 그건 조금 특수한 형태의 자기혐오 같은 게 아녔을까 하는 생각이 들어. 자신의 과거에 대한 혐오. 과거의 나로부터 현재의 나까지 쭉 이어지는 자아에 대한 혐오. 자신이 저지른 일에 대한 책임으로부터 어떻게든 도망치고 싶어서, 차라리 나라는 사람이 더 이상 내가 아니게 되길 바라게 되는 마음. 근거가 뭐냐고? 글쎄, 신빙성 없는 뜬소문 몇 조각? 멜리수스 동굴 참사에 대해서 개인적으로 좀 알아봤거든. 테닐이 그 일에 책임이 있다는 게 정말로 근거 없는 모함이었는지 아니었는지 확인하고 싶어서.

그런데 그게, 음, 아니다. 방금 한 말은 그냥 다 잊어버려.

만나 본 적도 없는 사람 머릿속을 내가 어떻게 알겠어.

어차피 지금 중요한 건 테닐의 머릿속 따위가 아냐. 아직까지도 텔 미크네 지하에 도사리고 있을 무언가지. 포유동물의 체내에 침범해서 몸을 완전히 변형시킨 다음 신경계 구조만을 빌려서 움직이는, 사라진 문명의 그림자로부터 기어 나온 정체불명의 기생 생명체. 알려진 바로는 크레타섬으로부

어른벌레

터 유래해서 필리스티아인들과 함께 이곳에 이주
해 왔고, 한때는 에크론 주민들에게 바알 제붑이라
고 불리며 숭배되기도 한 존재. 아론 하브릿 녀석
들은 그 실체를 확인하고 싶어 하는 모양이지만,
상부에서 과연 탐사를 허가해 줄지는 모르겠네. 어
떤 건 꽁꽁 묻어 두고 건드리지 않는 게 최선일 때
도 있잖아. 수천 년 동안 그건 고작해야 박쥐들 정
도만 잡아먹으면서 지하 유적에 조용히 잠들어 있
었어. 앞으로도 영영 그렇게 놓아둘 수만 있다면
고고학자의 탐구심쯤이야 좀 무시해도 좋지 않을
까? 그래, 말 잘했다. 나는 내 자아가 아주 소중한
사람이거든.

아, 음. 그 목격담 말이지. 그것도 아직 현재 진행
형인 사안이기는 해. 그날 목격된 이후로 그게 대
체 어디로 갔는지 전혀 알 수가 없거든. 열심히 찾
고는 있는데, 지금까진 애매모호한 레이더 신호
몇 개랑 흐릿한 사진 한 장뿐이야. 심지어 그걸 뭐
라고 불러야 할지조차 전혀 합의가 안 된 상태라
고. 행정적인 문제이기도 하고, 조금 정도는 철학
적인 문제이기도 하지. 과연 우리는 그걸 '테닐'이
라고 부를 수 있을까? 만일 그럴 수 없다면 도대체
뭐라고 정의해야 할까? 내가 더 이상 내가 아니게
된다면 그건 과연 나일까? 으으, 이상한 자료만 하
루 종일 읽다 보니까 내 머리까지 이상해진 것 같
단 말이야. 요즘은 어느 정도냐면, 가끔씩은 옛 중
국인들의 생각에도 일리가 있단 생각까지 들고 그

런다니까. 내 말은, 나나니벌 애벌레가 태어난 순간부터 오로지 뽕나무벌레 한 마리만 조금씩 조금씩 갉아먹으면서 성충으로 자라난다면, 그 외에는 아무것도 입에 대지 않았다면, 그건 어쩌면 뽕나무벌레가 나나니벌로 성장한 것과 그렇게까지 다른 일은 아닐지도 모른다는 거야. 그러니까 테닐이 뭣 때문에 크레타 원시종교 감마에 빠졌든 간에, 어쩌면 먼 옛날 사람들의 신앙은 테닐이 품었던 것과는 많이 달랐던 게 아닐까. 옛날 사람들은 그저 가끔씩 좀 더 극적인 방식으로 성장하기도 했던 게 아닐까.

사람이 가설을 세워 보는 건 자유잖아. 안 그래?

*****

고치를 찢고 나와 바깥 세계의 존재를 지각한 바로 그 시점부터, 그것은 본능적으로 지상을 향해 몸을 움직이기 시작했다. 매끄럽고도 유연한 신체가 좁은 땅굴을 따라 꾸물거리며 조금의 저항감도 없이 나아갔다. 이윽고 차가운 공기의 흐름이 와 닿자 길쭉한 팔이 먼저 토굴 입구로부터 튀어나와 지면을 붙잡았고, 뒤이어 몸 전체가 쑥 튀어나와 먼지구름을 일으키며 땅에 툭 떨어졌다. 그 마지막 진동에 벽이 흔들리고 돌무더기가 우르르 떨어졌지만 그것이 신경 쓸 일은 아니었다. 대신 그것은

어른벌레

다리에 힘을 주어 몸을 똑바로 세우는 일에 집중했다. 조직과 조직을 따라 힘이 부드럽게 흘렀다. 밤바람에 식어 굳은 점액질이 희미한 쩌저적 소리를 내며 갈라졌다. 마침내 스스로의 모든 부속지가 올바른 위치에 있다는 어렴풋한 느낌이 들었기에, 그것은 다시금 팔과 다리를 움직이며 땅 아래에 뚫린 공동으로부터 저벅저벅 걸어 나왔다.

지상은 고요했고 하늘은 검었으며 그것은 홀로 서 있었다. 잠깐 동안 그것의 신경계는 새로운 자극을 받아들이고 처리하기 위해 분주히 작동했지만, 정말 찰나에 지나지 않는 작업이었고 그 뒤에는 그저 공허만이 남았다. 모든 감각과 본능이 텅 빈 정신의 한가운데를 향해 끝없이 떨어졌다. 아무것도 보이지 않았고 아무것도 들리지 않았다. 휘적이는 손끝에는 그 무엇도 걸리는 것이 없었다. 그럼에도 그것은 무언가 반드시 찾아야만 할 것이 있다는 듯이 스스로의 내면 깊숙한 곳을 이리저리 유영했다. 가장 희미하고 덧없는 어떤 흔적의 존재를 갈구하며 그저 헤매고 또 헤맸다. 칠흑 같은 어둠 속에서 생명체의 온기를 찾아 불길하게 스멀거리는 검은 그림자처럼. 또는 먼 옛날의 사람들이 남긴 신비로운 유적을 탐사하는 고고학자처럼.

다음 순간, 그것은 마침내 스스로의 자아를 찾아냈다.

시시한 발견이었다. 일단 자신이 누구인지 깨닫고 나니, 그런 당연한 걸 굳이 찾고 있었다는 사실

자체가 너무나도 보잘것없게 느껴졌다. 감각이 다시 외부로 향했고 새로 얻은 몸은 비로소 또렷하게 그 존재감을 과시했다. 어깨가 더없이 가벼웠다. 손가락을 꼼지락거리는 기분이 상쾌했다. 우화 순간의 잔열이 등을 타고 찌르르 흘렀다. 여기도 움직일 수 있겠구나, 하는 자각에 따라 뼈가 들리고 피부가 쭉 당겨졌다. 팔 위쪽으로 복잡하게 접혀 있던 구조가 완전히 펴지고 나니 다음에 해야 할 일도 자연스레 선명히 떠올랐다. 그것은 마지막으로 한 번 주위를 둘러보며 슬며시 미소를 짓더니, 이내 아주 살짝 땅을 박차고서 밤하늘 방향으로 높이 뛰어올랐다. 널찍한 네 장의 날개 아래에서 흐르는 기류가 그 몸을 가뿐히 받아 공중에 띄웠다. 어느새 그것은 아득히 먼 저편으로 너무나도 편안하게 날아가고 있었다. 자신이 떠나온 저 아래의 세계에는 더 이상 조금의 눈길조차 주지 않은 채로.

어른벌레

재미로 내달리면서 우주 끝까지 가는 것 같은 소설 세 편

이런 것이 재미있는 소설이다. 이산화 작가의 이야기는 무엇이 묻혀 있는지 알 수 없는 고대 유적을 발굴했다는 내용으로 시작한다. 그날 일을 요약해 설명해 주면서 이야기는 뜸들이는 것 없이 바로 핵심으로 돌진하는 듯하다. 도대체 유적에는 무엇이 숨겨져 있을까? 그것을 발견한 다음에 과연 무슨 일이 생겼을까? 왜 이 이야기를 해 주는 사람은 병실에 있는 것일까? 궁금증을 계속 자아내게 하면서 이야기는 펼쳐지고, 이야기가 펼쳐지는 가운데 그 궁금증이 하나둘 풀려 나간다. 재미있는 소설답게 이미 풀린 궁금증은 더 큰 호기심을 일으키는 새로운 이야깃거리를 이끌어 낸다. 소설의 주제는 여러 가지로 모습을 바꾸는 이야기 속에서 색다르게 드러난다. 성경과 부활 등 종교적인 내용을 언급하며 무겁게 다가가는가 하면, '유령이 나오니 절대 들어가면 안 되는 방' 이야기 같은 공포물로 독자를 이끌기도 한다. 결말에 이르면 서로 다른 모든 모습의 이야기들이 하나의 초점으로 모이면서 그 멋이 폭발한다.

듀나 작가의 소설 두 편은 우리 현실의 부분 부분을

너무하다 싶을 정도로 정확하게 묘사하면서도 전체적으로는 전혀 다른 세상을 보여 주는 이야기들이다. 한 이야기의 배경은 조선시대를 무대로 한 사극과 아이돌 예능 프로그램을 섞어 놓은 듯한 곳이다. 그런데 막상 그 내용을 들여다보면, 사극 분위기와도 예능 프로그램 분위기와도 전혀 비슷하지 않은 분위기 속에서 우주와 시간의 핵심이 무엇인지를 잡아채려 한다. 다른 이야기는 게임과 가상현실을 다루는 활극 소설 같은, 최신 유행에 가까운 줄거리를 풀어 간다. 그런데 쓸쓸한 미래 도시 거리를 거니는 사이버펑크 탐정 이야기의 고즈넉한 맛이 단단히 같이 엮여 있다. 그 속에는 가지각색으로 즐길 만한 온갖 상상들이 가득하다. 단어 하나하나마다 이야깃거리를 넘치도록 담아 둔 느낌이다.

이산화 소설을 읽으면 이 작가가 벌써 이 정도로 완벽에 가까운 글을 써내게 되었는가 감탄하게 된다. 듀나 소설을 보면 거장의 솜씨란 역시 이런 것이구나 감탄하게 된다. 이러니 재미있는 소설이라고 말할 수밖에.

선순환의 전조

<사라지는 미로 속 짐승들>과 <불가사리를 위하여>는 모두 놀라운 도약의 쾌감을 선사한다. 길지 않은 분량에서 이토록 커다란 세계를 목격하는데 과도하다는 느낌이 전혀 들지 않는다. 이야기에 필요한 것만 정확히 보여 주는 듀나는 이번에도 새로운 경이감의 원천을 제공했다. 나는 항상 듀나가 미국에서 태어났다면 휴고상의 이름은 듀나상이었을 거라 말하곤 하는데, 그 믿음이 또 한 번 강고해졌다. 그 짝으로 정해진 <어른벌레>는 충격적으로 재미있는 소설이다. 현대의 물질과학과 오컬트라는 정교하나 상이한 체계의 수긍할 수밖에 없는 조화, 다음 장을 확인하지 않을 수가 없게 독자를 들었다 놓았다 하는 장르적으로 즐거운 전개, 면밀한 자료 조사를 기반으로 한 철저히 현실적인 이야기 속에 틈입하는 환상은 이미 이산화의 스타일로 확고하게 자리 잡았다. 같은 신인으로서 부럽다.

최근 한국 SF의 빛나는 성장의 기저에는 듀나라는

심너울 작가

살아 있는 거인(토끼?)이 있다. 듀나는 한국 SF가 픕진했던 1994년부터 세계적 수준의 SF를 꾸준히 써왔다. 이제 그 거장의 영향을 받은 이산화 같은 이야기꾼들이 탄생하여 자신의 고유한 스타일을 실시간으로 확립하고 있다. 첫 짝꿍 특집의 작가진이 듀나와 이산화라는 것을 듣고 훌륭한 조합이 되리라 생각했다. 원고를 읽고 난 후 내 예측이 적확했다는 사실을 알고도 담담했다. 당연했으니까.

나는 이 작은 쇼트에서 한국 SF계에서 일어나는 선순환의 전조를 본다. 한 작가가 작품 활동을 지속하여 신인들에게 영감을 주고 그 신인들이 다시 또 다른 신인들에게 영감을 주는 선순환을. 언젠가는 이산화와 미래의 신인이 쓴 짝꿍 특집도 볼 수 있기를 기대한다. 이 기대가 현실로 이루어져도 앞에서 말한 바와 같은 이유로 나는 담담하지 않을까 싶다. 바라건대 그 때도 추천사는 내가 쓸 수 있기를.

작가의 말

듀나

〈불가사리를 위하여〉는 이전에 발표한 〈각자의 시간 속에서〉와 같은 우주를 공유한다. 공개적인 시간여행이 당연시되는 이 세계를 배경으로 한 이야기는 이 둘 말고도 세 편을 더 짜 놨는데, 지금 계획만 본다면 캐릭터들은 연결되지 않을 것 같다. 하지만 또 모르는 일이다. 주인공에겐 모델이 둘인데, 한 명은 본문에서 누군지 밝혔고 나머지 한 명도 쉽게 짐작하실 수 있으리라 믿는다.

〈사라지는 미로 속 짐승들〉은 의천 배경 새 연작 시리즈의 첫 단편이다. 의천은 내 초창기 소설들에 등장하는 가상 도시이고, 한국·중국·러시아의 국경지대 사이에 있다. 의천이 존재하는 세계의 역사는 우리의 역사와 많이 다르며, 각각의 작품들 역시 하나의 역사로 이어지지 않는다. 이를 설명할 생각은 없었는데, 그래도 설명을 시도하면서 새로운 아이디어를 짜내는 건 가능하다는 생각이 들었다. 앞으로 나올 연작은 같은 캐릭터들을 공유하겠지만 한 줄로 연결되지는 않을 것이다. 이 단편의 화자는 《아르카디아에도 나는 있었다》에 조연으로 처음 등장하지만 이 단편을 먼저 쓰기 시작했다.

작가의 말

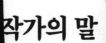

작가의 말

이산화

구약성서에 기록된 내용이 전부 문자 그대로의 사실이라면, 지금의 레반트 지역에는 한때 거인이 꽤 많이 살았습니다. 민수기 13장에 이르길 이 거인들은 '네피림 후손인 아낙 자손'이었고, 또 창세기 6장에는 네피림이 '하나님의 아들들'과 '사람의 딸들' 사이에서 태어난 자식이라고 되어 있으며, 후대의 여러 기독교 전승에서는 이를 타락한 천사와 인간의 통혼을 의미하는 것으로 해석했지요. 한편 에스겔서를 보면 천상의 존재들은 머리의 개수나 여타 신체 구조 측면에서 지상의 생물들보다 상당히 자유분방한 모습을 하고 있는 모양이니, 정말로 구약의 거인들이 인간과 천사의 혼혈이었다면 그 모습이 우리가 상상하는 '거인'과는 꽤 다를 수도 있을 겁니다. 역대상 20장에 등장하는 손발가락이 여섯씩 달린 거인도 어쩌면 천사의 유전적 영향을 나타내는 예시가 아닐까요?

　아, 덧붙여서 개역 개정 성경의 역대상 20장에서 '키가 큰 자'라고 번역된 단어의 히브리어 원문인 '르파임'은 구약의 다른 부분에서 지하 세계인 저승(스올)의 거주자를 뜻하는 단어로 사용되기도 합니다. 그러니까 '키가 큰 자의 아들'은 동시에 '땅속 유령의 자손'이기도 한 셈이지요. 〈어른벌레〉에서 일어난 일이 결국 무엇이었느냐고 물으신다면, 네, 대략 그런 이야기입니다.

아주 옛날부터 동경하던 작가와 같은 책에 글을 싣게 되었다는 사실에 대한 소감을 너무 길게 늘어놓지는 않으려 합니다. 그런 건 인터넷에서 영화 리뷰 찾아서 읽던 어린 시절의 이산화가 지금 이 순간에도 내면에서 잘 해 주고 있습니다. 고린도전서 13장 11절 말씀에서처럼, 어른이 되어서는 어린아이의 일을 좀 버릴 필요가 있는 법이지요. 잠깐, 그런데 복음서를 보면 하나님의 나라가 어린아이와 같은 사람들의 것이라고 되어 있지 않았나요? 그럼 제가 굳이 어른스럽게 굴 필요가 있는 걸까요? 잠시만요, 준비 좀 하고…

(여러분이 상상할 수 있는 가장 신난 작가의 모습을 상상해 주세요.)

예에! 제 기쁨이 여러분께도 전달됐으면 좋겠네요. 이상입니다.

프로듀서의
말

현재 안전가옥 출판 라인업은 총 세 가지로 구성되어 있습니다. 작가와 스토리 PD 간 협업을 통해 개발한 장편소설을 기본으로 하는 '오리지널'과 안전가옥 스토리 공모전에서 수상한 작품들을 엮은 '앤솔로지', 그리고 주로 중단편이 실린 소설집 '쇼-트', 이렇게 말이지요.

그중 쇼-트는 가장 나중에 만들어진 시리즈이니만큼 굉장히 다양한 발상이 논의되었습니다. 조금씩 기획이 구체화되기 시작할 무렵, 스토리 PD 신이 아이디어를 냈습니다. 각 장르에서 활발히 활동한 작가와 이제 막 활동을 시작한, 혹은 신진 작가라고 불릴 만한 작가. 이렇게 두 작가의 작품을 엮어 구성해 보면 어떨까 하는 것이었습니다.

우리는 내부적으로 '짝꿍' 프로젝트라는 이름을 붙이고, 이 계획을 진행해 나가기로 했습니다. 흥미로웠습니다. 어떤 작가님들과 함께하면 좋을까 하는 즐거운 상상을 자주 했습니다. 그런데 아뿔싸. 짝꿍 프로젝트의 첫 번째 책을 제가 담당하게 될 줄은 미처 몰랐습니다.

프로듀서의 말

이 일종의 히든 프로젝트에서 어떤 작품들을 첫 번째로 엮을 것인가에 대한 논의가 아주 치열하게 오고 갔습니다. 많은 회의와 토론, 그리고 고민 끝에 일단 장르를 SF로 정했습니다. 그다음으로 해결해야 할 더 큰 문제가 있었습니다. 과연 어떤 작가님들을 짝꿍으로 엮는 것이 좋을까 하는 문제였습니다. '어려울수록 기본으로 돌아가라'고 했던가요. 그래서 그렇게 했습니다. 저는 SF 작가님들 중에서, 특히 듀나 작가님의 팬이었습니다.

듀나 작가님께 메일을 드리고, 그다음으로 최근에 저를 팬으로 삼게 되신 이산화 작가님을 찾아갔습니다. 듀나 작가님께서는 기존 작업들이 많아 일정을 맞추기가 쉽지 않다고 하셨고, 이산화 작가님께서도 화들짝 놀라며(듀나 작가님 팬들에게 혼이 날 것이라며…) 절대 안 된다고 손을 내저었습니다.

우여곡절 없는 프로젝트가 세상에 어디 있을까요. '어려울수록 기본으로 돌아가라'고 이미 말했던가요. 그래서 그렇게 했습니다. 결국 팬심은 열매를 맺어 이렇게 책으로 나오게 되었습니다. 다만 그 와중에 또 하나 미처 예상하지 못했던 일이 있었는데, 듀나 작가님께서 한국과학소설작가연대 제2기 대표가 되시고 이산화 작가님께서 운영 이사가 된 것입니다. 이산화 작가님께서 '듀나벨'을 들고 외부 활동을 하시게 되리라고는 정말 상상도 못 했습니다.

짝꿍이란 단어가 이렇게 세상으로 나오기까지, 안전가옥 운영 멤버 모두가 기울여 준 노력과 수고에 감사하다는 말씀 전합니다. 더불어 듀나 작가님과 이산화 작가님께도 다시 한번 감사의 인사를 전합니다.

무엇보다 여기까지 읽어 주신 독자분들께 가장 큰 감사의 인사를 전하며, 다음 짝꿍은 누가 될지, 그리고 어떤 작품이 서로 짝을 이루게 될지 즐거운 기대 부탁드리겠습니다.

감사합니다.

안전가옥 스토리 PD
윤성훈 드림

짝꿍: 듀나×이산화

지은이	듀나, 이산화
펴낸이	김홍익
펴낸곳	안전가옥

기획	안전가옥
콘텐츠 총괄	이지향
프로듀서	윤성훈
	박혜신 · 반소현 · 이은진 · 임미나 · 정지원
편집	이혜정
디자인	금종각
브랜드	최다솜
사업개발	이기훈
경영지원	홍연화

출판등록	제2018-000005호
주소	04779 서울특별시 성동구 뚝섬로1나길 5,
	헤이그라운드 성수 시작점 203호
대표전화	(02) 461-0601
전자우편	marketing@safehouse.kr
홈페이지	safehouse.kr
ISBN	979-11-90174-95-4
초판 1쇄	2020년 10월 26일 발행
초판 2쇄	2021년 12월 28일 발행